KB096252

OVERCOME

OVERCOME

발 행 | 2024년 2월 29일
저 자 | 배호근
펴낸이 | 한건희
펴낸곳 | 주식회사 부크크
출판사등록 | 2014.07.15(제2014-16호)
주 소 | 서울특별시 금천구 가산디지털1로 119 SK트윈타워 A동 305호
전 화 | 1670-8316
이메일 | info@bookk.co.kr

ISBN | 979-11-410-7440-1

OVERCOME

배호근 지음

CONTENT

나를 잡아준 건 동료들

형

필요했던 말

우물 안 개구리

꼬이고 난 후 춤은 더 멋지게

인간일 뿐

관계

하수의 깨달음

무질서와 자유

세대교체

그들이 할 수 없는 것

류현진

오늘만

공간분리

운동

불청객

관심

발전

내 안에

그냥 나쁜 날

술

프롤로그

안녕하세요.
OVERCOME 작가 배호근입니다.

21살 주제에 인생 이야기를 하며 에세이를 쓰다니 제가
생각해도 정말 어리석습니다.

그렇기에 이 책으로 누군가의 인생을 바꿀 수 있다 거
나, 누군가의 고민에 답을 줄 수 있다는 생각조차 감히
할 수 없습니다.

저는 그저 제가 가지고 있는 생각들을 나누고 싶었고,
말로는 표현하기 어려웠던 부분들을 이 책을 빌려 용기
를 내보고 싶었습니다.

제가 하는 이야기는 철이 없고, 세상모르는 애송이가 하
는 이야기일 뿐이지만, 저는 저의 어리석음을 세상에 보
여주는 것이 제가 옳은 길로 갈 수 있는 방법이라고 진
심으로 믿습니다.

정말 최선을 다해 솔직한 저의 이야기를 담았습니다.

저와의 대화를 위해 여러분들의 소중한 시간을 할애해 주셔서 진심으로 감사합니다.

좋은 시간 되시기를 바라겠습니다.

겁이 날 때

저는 무언가를 하기도 전에 먼저 겁을 먹을 때가 많습니다.

"이 일이 잘못되면 어떡하지?" 생각하며 부정적인 생각들로 인해 시작조차 하기도 전에 겁을 먹곤 합니다.

저는 그런 순간이 찾아올 때마다 "내가 존경하는 사람들은 이 순간에 어떻게 했을까?"라는 생각을 하다 보면 답을 조금씩 찾을 수 있었습니다.

예를 들면 심사위원의 위치에서 직접 참가자의 위치로 돌아가서 본인의 실력과 재능을 증명한 스웡스님, 사람들의 많은 비평과 비판 속에서 후보로 경기를 시작해서 경기 중간에 교체로 투입해 해트트릭을 해내며 모든 언론들을 뒤엎은 손흥민 선수님과 같은 분들을 생각하며 제가 어떻게 해야 할지를 결정할 수 있었습니다.

그분들은 겁이 나고, 압박이 너무나도 심했음에도 불구하고, 도망보다는 도전을 선택했기에 더욱더 큰 형태의 성공을 만난 것이라고 생각합니다.

물론 그 분들이 느끼는 압박감과 제가 느끼는 압박감을 비교하는 것은 정말 말도 안 되는 일이지만, 같은 사람이기에 저도 못할 것이 없다고 생각합니다.

성공한 사람이 되고 싶다면 성공한 사람의 삶을 흉내내야 한다고 믿기에 저는 오늘도 용기를 내봅니다.

매번 저에게 용기를 빌려주셔서 정말 감사합니다.

저도 언젠가는 누군가에게 희망과 용기를 나누어 줄 수 있는 사람이 되겠습니다.

하늘색

만약 제가 누군가에게 "너는 어떤 사람이 되고 싶어?"라는 질문을 받게 된다면, 저는 "하늘색 같은 사람이 되고 싶어."라고 대답할 것입니다.

다른 분들은 어떻게 생각하실지 잘 모르겠지만, 제가 생각하는 하늘색은 평화와 평온을 상징하는 색이고, 그것은 저를 편안하고 안정감을 느낄 수 있게 해 줍니다.

저는 누군가에게 그런 색을 보여줄 수 있는 사람이 되고 싶습니다.

너무 강렬하게 타올라서 뜨겁지는 않지만, 부담 없는 편안한 따뜻함을 낼 수 있는 그런 사람.

진심=축복

약 10년간 많은 시간과 노력을 쏟았던 야구를 그만둔 후에 가장 많이 했던 생각은 "내가 앞으로 무슨 일을 할 지는 모르지만, 과연 많은 시간과 열정을 야구가 아닌 다른 곳에도 쏟을 수 있을까?"였습니다.

야구를 할 때는 아침에 눈을 뜰 때부터 저녁에 눈을 감을 때까지 야구를 위해 행동했고, 온통 머릿속엔 야구 생각뿐이었는데, 그 생활이 끝나니 솔직히 매우 허전했고, 무엇을 해야 할지 몰랐습니다.

저는 야구선수라는 꿈을 어렸을 때부터 가졌기에, 친구들이 어렸을 때부터 꿈이 없어서 고민하고 힘들어하는 모습을 볼 때 솔직히 공감이 잘 되지 않았었습니다.

하지만 제가 그런 입장이 되어 보니 꿈이 있고, 진심을 다 해 사랑하고 열정을 쏟을 수 있는 일이 있다는 것은 정말 축복이라는 것을 느꼈습니다.

물론 꿈이 없고, 하고 싶은 일이 없는 것이 불행하다는 이야기가 하고 싶은 것이 아닙니다.

제가 하고 싶은 말은 무언가를 좋아하고, 최선을 다할 수 있다는 것은 당연한 것이 아닌, 정말 소중한 기회이자, 행운이라는 것입니다.

이 글을 보고 있는 분들 중 본인이 현재 정말 사랑하는 일을 하고 있다면, 매번 감사함을 잃지 않고, 최선을 다해 즐기라고 말해주고 싶습니다.

그러나 그렇지 않다고 해서 너무 걱정하거나 좌절하지 마셨으면 좋겠습니다.

언젠가는 그런 축복들이 여러분들에게도, 저에게도 찾아올 것이라 믿습니다.

솔직함의 멋

저는 솔직한 사람이 정말 멋있게 느껴집니다.

꾸밈이나 허세 없이 있는 그대로의 자신을 드러낼 수 있는 사람.

그게 결국 자신에 대한 자신감이고, 사랑이라고 생각하기 때문입니다.

물론 저도 제 자신을 너무 좋아하고, 이렇게 책을 쓰고 있는 것 역시 너무 자랑스럽지만, 아직 솔직하게 제 자신을 드러내는 것을 두려워하는 것 같습니다.

가끔, 아뇨, 꽤 자주 거짓된 이야기를 하거나, 상황을 모면하기 위해 제 생각과 다른 이야기를 하는 자신을 마주합니다.

그럴 때마다 정말 괴롭고, 부끄럽습니다.

매번 솔직한 사람이 되자며 스스로 다짐하지만, 정말 어려운 일인 것 같습니다.

지금의 나보다 더 잘나 보이고 싶고, 더 멋있게 보이고 싶은 욕심이 솔직함을 이긴다는 것이 정말 아직도 철이 없는 것 같습니다.

척은 언젠가는 분명 들통이 날 텐데 말이죠.

하지만 이 책을 통해 솔직한 저의 이야기를 고백함으로써 조금씩 달라질 수 있을 거라 믿습니다.

만약 앞으로도 그렇지 못한다면 저는 제가 한 말조차 지키지 못하는 가장 부끄러운 사람이 될 테니깐요.

피부

어렸을 때는 잘 안 씻고, 화장품을 바르지 않아도 피부가 정말 좋았었는데, 고등학생이 되고 나서 피부가 갑자기 너무 안 좋아지기 시작했어요.

아마 마스크 와도 연관이 있을 것 같고, 스트레스도 분명 이유가 되겠죠.

솔직히 처음에는 별로 신경이 안 쓰였는데, 계속해서 심해지다 보니 신경이 안 쓰일 수가 없었어요.

그때부터 정말 가까운 사람들 말고는 사람을 만나는 게 조금 두려워졌어요.

모두가 제 피부를 보고 있는 것 같았고, 제 피부에 대해 이야기할 것 같았어요.

그래서 학교에 있을 때도 급식실을 피했고, 마스크도 잘 벗지 않았어요.

그렇게 한없이 작아지는 저를 보면서 "내가 나 자신에게 자신 없는 모습이리면 이렇게 소심헤지고, 작아지는구나"라는 것을 느꼈어요.

물론 내면이 중요한 것이라고 이야기하지만, 외면 역시 너무나도 중요하다는 것을 그때 느꼈어요.

자신이 없으면 그게 행동으로 드러나고, 그게 그 사람의 이미지가 돼 버린다는 것을 알게 된 거죠.

그래서 그때부터 비용과 시간을 투자해서 피부를 관리하기 시작했어요.

주변에서 "너는 연예인이니?"라고 말할 정도로 예민하고 철저하게 관리했고, 피부과를 다니기 위해 알바를 하며 돈을 모았어요.

그렇게 시간이 조금씩 흐르면서 피부가 점점 좋아지기 시작했고, 피부뿐만 아니라 내가 좋아지기 시작했어요.

사람들이 내 피부를 보는 게 더 이상 무섭지 않았고, 사람들을 만나는 것을 피하지 않게 됐어요.

피부 하나로 이렇게 사람이 바뀔 수 있다는 것을 느끼면서 앞으로 나의 자존감과 자신감을 위한 거라면 투자를 아끼지 않겠다고 다짐했어요.

그리고 피부를 관리하면서 피부 관리는 우리 삶에 필요한 부분을 알려준다고 느꼈어요.

피부에는 보습이 정말 중요하고, 자극 뒤에는 충분한 진정을 시켜줘야 한대요.

사실 그게 우리에게도 필요한 것인데 말이죠.

우리 삶에도 보습과 진정이 필요하지만, 저를 포함한 많은 사람들이 그렇지 못해요.

세상에 자기 자신보다 소중한 것은 없기에 본인에게 아끼지 말고 투자하고 사랑해 줬으면 좋겠어요.

본인을 아끼고 더 멋있게 만드는 것은 어쩌면 선택이 아니리 의무라고 생각히거든요.

운명

저는 저에게 일어나는 모든 일들이 다 이유가 있는 거라고 생각해요.

맞아요. 정말 제 맘대로 되는 일이 하나도 없어요.

야구를 하면서도, 그만두고 나서 다른 것을 하면서도 정말 크게 느꼈어요.

근데 지금 고작 21살이고 앞으로는 지금 보다 더 한 일들도 찾아오겠죠.

하지만 저는 그것조차 저를 위한 신의 계획과 뜻이라 믿어요.

그래서 저에게 일어나는 일을 그저 받아들이고, 그 과정에서 무언가를 얻고 배우려고 노력하는 자세와, 결과와 상관없이 항상 최선을 다하는 자세를 가지려고 노력하고 있어요.

그게 제가 할 수 있는 유일한 것이거든요.

그래도 저는 절대 낙심하지 않아요.

제가 앞서 말했던 것처럼 다 이유가 있는 일들일 테니.

그 아픔들은 저를 더 단단하게 만들어줄 것이고, 성숙하게 만들어 줄 거예요.

그러니 당장 너무 힘들더라도, 그 아픔보다 더 멀리 보면서 묵묵하게 버틸 수 있는 사람이 돼야 해요.

우리 잘 버텨봅시다.

성공

"중요한 인생이란 다른 사람의 삶에 영향을 주는 것이다"

돈을 많이 벌거나, 좋은 명예를 얻는 것보다 다른 사람에게 긍정적인 영향을 끼치는 사람.

그게 제가 생각하는 가장 **훌륭하고** 크게 성공한 사람이에요.

2024

벌써 한 해가 디 지니고 2024년이 찾아왔네요.

2023년은 항상 저와 가장 친하게 지냈던 야구라는 친구
와 떨어져 지내본 첫해여서 그런지는 몰라도 새로운 경
험들을 많이 할 수 있었어요.

결과와는 상관없이 너무 소중한 경험들이었고, 이젠 그
저 추억으로 남겠죠.

준비하던 것들이 잘 되지 않은 것은 사실이지만, 절대
그 시간들과 노력들이 낭비라고 생각하지 않아요.

오히려 나 자신도 몰랐던 나의 모습들과 가능성들을 볼
수 있었던 계기가 됐던 것 같아서 너무 감사할 뿐이에
요.

그래서인지 새롭게 찾아온 2024년이 더욱더 설레고 기대가 돼요.

이제 다시 새로운 집단에 속해 새로운 생활을 하게 될 것이고, 새로운 인연들을 만나게 되겠죠.

불과 몇 년 전만 해도 새로운 환경에 속하게 되는 것이 두렵고 걱정이 먼저 앞섰었는데, 지금은 조금 다른 감정이네요.

새로 생긴 목표들을 향해 달려갈 생각에 너무 설레고, 앞으로 저에게 찾아올 일들이 너무나도 기다려져요.

정말 많은 일이 있었던 2023년 한 해 동안 고생 많았다고 저 자신에게 말해주고 싶고, 2024년에는 이루고 싶은 것들을 다 이뤘으면 좋겠어요.

그럴 자신도 이제는 충분히 있고요.

카더라

요즘 SNS가 정말 잘 발달되어 있는 시대라 이야기 하나가 퍼지는 것은 정말 일도 아닌 것 같아요.

물론 그것에 장점도 분명히 있지만, 단점 역시 분명히 존재한다고 생각해요.

그중의 하나가 허위 사실로 인해 피해를 보는 사람들이라고 생각하는데, 특히 연예인 분들이 피해를 많이 보시겠죠, 일반인들도 예외는 아니고요.

그래서 저는 제가 실제로 직접 보거나, 경험한 것이 아니면 쉽게 믿지 않으려고 노력해요.

그게 기사이든, SNS이든, 사람들 사이에서 지나다니는 이야기이든 전부 상관없어요.

그리고 저는 항상 말할 때, 행동할 때는 책임이 뒤 따른다는 사실을 잊지 않으려고 해요.

아무리 듣거나, 전달받은 말이라도 그 말이 나를 통해 밖으로 나가는 순간 그 몫은 더 이상 남의 몫이 아니거든요.

그러니 항상 신중하게 생각해야 하고, 책임을 질 각오로 말과 행동을 해야 해요.

그리고 남들의 말보다는 제 경험과 생각을 믿으려는 태도를 가지는 것이 가장 중요한 것 같아요.

사소함

예전에는 크지 않은 일에도 쉽게 무너지고, 쓸데없이 깊게 빠졌었다면, 지금은 꽤 큰일이 일어나더라도 먹고 싶은 것을 먹을 수 있다는 것과, 신호등이 빨리 초록불로 바뀌는 것과 같은 사소한 운과 기쁨에 감사함을 느끼는 자신을 볼 수 있어서 정말 기쁩니다.

좋은 일은 생각보다 우리 주변에서 작은 형태로 자주 일어나고 있으니, 너무 큰 것에만 집착하면서 좋은 것들을 놓치지 않았으면 합니다.

아침에 눈이 떠지는 그 순간부터가 사실 너무나도 감사한 일입니다.

이러한 감사함과 소중함을 찾으려 노력하고 애쓴다면, 우리가 보는 세상은 더욱더 밝고 좋아질 거라 믿습니다.

경청

말을 잘하는 것보다, 그냥 묵묵히 들어주는 것이 훨씬 더 중요하다는 것을 요즘 깨닫고 있습니다.

제가 사람들과 대화를 할 때 자꾸 말이 겹치고, 남의 말을 끊는 경우가 많은 것 같습니다.

그리고 상대방의 말을 들었을 때 정확한 답변을 해줘야 한다는 생각이 강해서, 매번 충고와 같은 이야기를 하게 되는 것 같아서 마음이 좋지 않습니다.

말을 잘하는 것도 연습과 노력이 필요하겠지만, 잘 들어주는 것 역시 많은 연습이 필요할 것 같습니다.

Why?

운동 엘리트 선수의 길을 밟아본 분들은 아시겠지만 "하라면 하고, 하지 말라면 하지 마."라는 분위기가 정말 강합니다.

한마디로 그냥 말을 잘 듣는 것이 중요한 거죠.

물론 이 분위기는 운동선수들만 느끼는 것이 아닌, 우리 나라의 오래된 관습일지도 모릅니다.

하지만 저는 아이들을 로봇처럼 교육하는 것이 아이들 의 창의성과 개성을 죽이는 행위라고 생각합니다.

저는 오히려 순순히 말을 잘 듣는 착한 아이들을 보면 마음이 좋지 않습니다.

물론 뭐든지 NO를 이야기하는 반항아가 되라는 것은 절대 아닙니다.

저는 본인이 판단했을 때 아닌 것 같다고 생각하는 것을 그냥 순순히 받아들이지 않았으면 좋겠다는 겁니다.

항상 뭐든지 순응하려고 하고, 말을 잘 들으려 하는 자세보다는, 항상 물음표를 던지고, 본인이 판단해 보고, 결정해보는 연습을 하는 것이 중요하다고 생각합니다.

그래야 책임을 지는 법도 배울 수 있고, 본인의 선택에 의해 자신감을 얻을 수도 있고, 때로는 쓰라림의 교훈을 얻을 수도 있겠죠.

저는 아이들이 YES맨이 되는 것을 절대 원하지 않습니다.

대신에 항상 WHY를 던졌으면 좋겠습니다.

그랬을 때 "왜는 무슨 왜야, 그냥 하라면 해" 라며 말하는 어른들도 분명 있겠죠.

만약 그렇게 이야기하는 어른이라면 그냥 단번에 NO를 외쳐도 좋을 것 같습니다.

정말 우리를 위해서 해주는 말이라면 적어도 왜인지는 알고 있어야 하고, 그것을 설명해 줄 수 없다면 그것에 대해 진심으로 고민해 본 사람이 아닐 테니깐요.

미움받을까 두렵다고요?

남에게 받는 예쁨과 칭찬의 집착할 필요 없습니다.

본인 눈에 본인이 예쁜 것이 가장 중요합니다.

보기 위해 눈을 감는다

저는 눈을 감으면 정말 많은 세상을 볼 수 있어요.

제가 꿈꾸는 세상들부터, 가고 싶은 곳, 되고 싶은 나, 겪고 싶은 상황들을 제 마음대로 보고 경험할 수 있어요.

야구 선수가 꿈이었을 때는 프로 유니폼을 입고 인터뷰를 하는 장면을, 유학을 계획했을 때는 미국에서 성공하는 장면을 매일 같이 머릿속으로 그리곤 했어요.

요즘은 책을 완성하고 난 후, 그 책과 함께 사진을 찍으며 행복해하는 나의 모습을 자주 그려요.

이런 저를 보며 바보 같다고 생각할 수도 있겠네요.

사실 저도 그랬거든요. 타고난 게 하필 상상력이라, 매일 같이 상상하고 꿈을 꾸는 자신이 바보같이 느껴지기도 했어요.

하지만 그게 더 이상 상상과 꿈이 아니라면 말이 달라지겠죠.

제가 이렇게 책을 쓰고 있는 것처럼 말이에요.

그래서 저는 그냥 앞으로도 마음껏 꿈꾸고, 제 세상을 마음껏 머릿속으로 그리려고요.

그리고 그저 꿈과 상상으로 끝나도록 내버려두지 않을 거에요.

산과 삶

한동안 방황하면서 집에만 박혀 있는 나 자신이 싫어서 운동을 하려고 산을 자주 갔었습니다.

집 앞에 있는 그리 높지 않은 산이었음에도 불구하고 등산을 하면서 저는 많은 교훈들을 얻었습니다.

그것 중 저는 몇 가지에 대해서 이야기를 해보려 합니다.

등산을 하던 도중에 갈림길이 나와서 어디로 갈지 결정을 해야 했었습니다.

주위를 둘러봐도 안내 표지판이 따로 없었고, 어디로 가야 할지 도무지 알 수 없었습니다.

그래서 제 촉을 믿고 한 곳을 선택해서 그 길로 가기로 했습니다.

그런데 그 길을 가는 과정이 너무나도 불안했습니다.

왜냐하면 제 목표는 산 정상인데, 그 길은 계속해서 내리막길이었기 때문입니다.

그래서 저는 "이 길이 맞나?, 내가 길을 잘못 선택한 것은 아닐까?"라는 불안감과 함께 다시 돌아갈까도 고민했지만, 그냥 계속 가보기로 결정했습니다.

그렇게 계속 내려가던 중에 제가 잘 왔다는 것을 알려주는 표지판을 발견했고, 그 이후로는 정상까지 계속해서 오르막길만 나왔습니다.

저는 이 날 등산을 하면서 "목표와는 다르게 시작이 내리막이어서 너무 불안하고, 의심이 되더라도, 자신을 믿고 묵묵히 가다 보면 언젠가는 잘 왔다는 표지판과 함께 오르막길을 맞이할 수 있겠구나"라는 점을 배웠습니다.

또 다른 날은 다른 코스로 등산을 했었는데, 그 코스를 가던 중에 1코스와 2코스로 또 나뉘어 선택을 해야만 했었습니다.

1코스의 시작은 내리막이었고, 2코스의 시작은 오르막이었는데, 저는 왠지 모르게 시작이 내리막인 곳이 더 재미있을 것 같아서 1코스로 결정했습니다.

비슷한 상황을 한번 경험해봤으니 불안하지 않았을까요?

인간은 생각보다 멍청하다는 것을 깨달았습니다.

분명 비슷한 상황을 겪어 봤음에도 불구하고, 계속해서 내리막이 찾아오니 똑같이 불안하고, "다시 돌아갈까?"라는 생각을 하더군요.

저는 이 날은 "선택을 해야 하는 상황과, 그 선택으로 인해 겪어야 할 과정들은 언제나 불안하고, 자신을 의심하게 만드는구나."라는 것을 느꼈습니다.

그리고 선택을 해야 하는 상황에서 과연 더 좋은 선택이란 존재할까요?

제가 오르막길을 선택했다면 과연 편안하게 오르막길만 오르며 등산을 할 수 있었을까요?

저는 아니라고 생각합니다.

더 좋은 선택이란 없어요.

시작이 내리막인 사람도 있고, 오르막인 사람도 있겠죠.

두 사람에 도착지와 거리는 같아도, 시작이 내리막인 사람은 내려가면 다시 올라가야 하니 체감상 뒤처지는 것 같은 느낌을 받을지도 모릅니다.

사실은 오르막을 선택한 사람도 언젠가는 한번 똑같이 내려올 텐데 말이죠.

각각 시기가 달랐던 것이지 그게 속도를 의미하는 것은 아닐 겁니다.

우리는 그저 우리의 선택을 믿는 거고, 그에 대한 책임을 지는 것.

그게 우리가 할 수 있는 전부라고 생각합니다.

후회요?

저는 세상에 후회만큼 멍청한 짓은 없다고 생각합니다.

어차피 그 상황으로 돌아가도 똑같은 선택을 했을 테니까요.

내가 정말 사랑했던 야구

야구를 하는 동안 정말 행복했던 순간들이 많았지만, 그만큼 힘든 순간들도 정말 많았었습니다.

그런 순간에도 제가 계속 버티고 야구를 할 수 있었던 것은, 그 힘든 것보다 야구를 사랑하는 마음이 더 컸기 때문입니다.

그리고 "끝없이 노력하고, 버티면 언젠가는 이룰 수 있지 않을까?"라는 믿음이 있었기에 버틸 수 있었습니다.

그런데 어느 날 그런 믿음과 사랑이 정말 한순간에 무너졌습니다.

어쩌면 그날이 제가 야구를 그만둬야겠다고 마음을 완전히 닫아버린 날이겠네요.

그날은 전국대회 시합이 있었는데, 그 시합 상대는 전국에서 가장 강한 팀이었고, 가장 강한 선수들이 있었습니다.

그래서 그 어느 때보다 준비를 철저하게 했고, 자신감도 있었습니다.

그렇게 조금의 긴장과, 잘 준비했다는 자신감과 함께 시합에 들어갔지만, 경기를 시작한 지 얼마 되지 않아서 저의 약점이 가장 잘 드러날 수 있는 상황이 찾아왔습니다.

그 상황을 잘 이겨낼 수 있다고 믿었고, 정말 잠도 줄여가며 연습을 해왔던 상황이기에 자신도 있었습니다.

하지만 저는 거기서 항상 그래왔듯이 실수를 저질러 팀이 패배하고 말았습니다.

누구보다 열심히 했다고 말할 수 있고, 준비도 잘했다고 생각했는데, 결국 연습장에서 잘하는 것과 경기장에서 잘하는 것은 분명 차이가 있었던 것이었죠.

저는 그날 절대 넘을 수 없는 벽을 마주한 느낌이었습니다.

 그 이후로 더 이상 힘을 낼 수도, 내고 싶지도 않았습니다.

정말 가슴속 깊은 곳에서부터 노력하면 안 되는 것이 없다고 믿었었는데, "그게 어쩌면 있을 수도 있겠다"라는 것을 느끼게 되는 순간이었습니다.

그 이후로는 야구장에 있어도 내가 야구장에 있어야 하는 이유를 더 이상 찾지 못했습니다.

그렇게 저는 시즌을 어찌어찌 마무리 했고, 약 10년 동안 해왔던 야구를 그만두기로 했습니다.

남들이 보기에는 정말 냉정하고, 단칼에 했던 결정이기에 "네가 야구를 진짜 좋아하기는 했냐?"라고 말하며 오히려 저를 의심합니다.

그렇게 오래 한 야구인데 후회가 없냐고요?

야구를 그만둔 지 2년이 넘은 지금 솔직히 아직도 꿈에 야구를 하는 장면들이 가끔씩 나옵니다.

하지만 저는 악몽과 같은 꿈에서 벗어나기 위해 발버둥 치며 일어나고, 그 꿈이 더 이상 현실이 아니라는 것에 안도하죠.

그렇다고 야구를 미워하고, 증오하는 것이 아닙니다.

아직도 야구를 정말 사랑하고 좋아합니다.

하지만 더 이상은 홀로 반대편을 바라보며 자리를 지키고 있는 외로운 자리에 돌아가고 싶지 않습니다.

이제는 그저 먼 곳에서 그 자리를 바라만 보고 싶습니다.

나의 젊음을 인지할 때

야구선수는 대부분 고졸 신인이 많아서, 항상 저에게 있어서 성공을 해야 하는 나이는 20대 초반이었습니다.

그러다 보니 운동을 그만뒀을 때, 그리고 유학을 가지 못하게 되었을 때, 저는 제 인생에 엄청난 큰일이 일어난 줄 알았습니다.

그런데 시간이 조금씩 흐르면서 "내가 별에 별일을 다 겪었음에도 고작 21살이구나"라는 것을 인지했습니다.

어른들이 매번 "너는 아직 젊어서 괜찮아"라고 해주시는 말들이 그저 위로를 위한 이야기인 줄만 알았는데, 그게 정말 엄청난 무기였던 것임을 모르고 있었습니다.

과거에 있었던 실패의 집착하거나, 너무 머나먼 미래를 생각하며 항상 막막하고, 답답해했었는데, 제가 젊은것을 인지하고 난 이후로는 더욱더 과감해지고, 많은 용기를 낼 수 있었습니다.

과거를 후회하기에는 앞으로 찾아 올 기회들이 너무나
도 많고, 먼 미래를 두려워하기에는 젊음과 함께인 이
순간이 너무 소중합니다.

Scars into Stars

그동안 많이 부딪히고, 넘어져서 생긴 상처들과 **흉터들**을 하나하나씩 회복하며 희망의 별로 바꾸어 가는 것.

그리고 그 별들이 많은 사람들을 비추어 그들의 길을 밝혀주고, 그들에게 용기를 심어주는 것.

그게 저의 꿈이자, 제가 해야 할 일이라고 믿습니다.

스티브

저에게는 제가 쓰고 있는 이 책 말고도 다른 목표들과 꿈이 있습니다.

그중의 하나가 시나리오를 써서 세상에 내보는 것입니다.

사실 얼마 전에 스티브라는 이야기가 완성이 되었습니다.

이 제목은 많은 운동선수들이 겪는 스티브 블래스 증후군이라는 증상에 이름을 따서 만들었습니다.

제가 겪었던 증상이기도 하죠.

제가 처음 스티브를 써야겠다고 마음먹은 계기는 제가 선수를 할 때 이 증상을 이겨낸 사례를 찾아서 용기를 얻고 싶었는데, 이 증상을 완벽하게 이겨낸 선수는 찾기 어려웠습니다.

모두 각자의 노하우로 대처하는 게 최선이었죠.

그래서 저는 가상으로라도 성공 사례를 만들어 보고 싶었습니다.

그리고 그 이야기 안에는 많은 선수들의 실제 노하우를 담아서 이 증상을 겪고 있는 선수들에게 도움을 주고 싶었습니다.

그 이유뿐만 아니라, 저는 저의 머릿속에서 그려진 이야기를 세상에 보여줄 수 있다는 것은 정말 영광스러운 일이라고 생각하기 때문에 시나리오를 써보고 싶은 것도 있었습니다.

그래서 완성된 이 이야기를 가장 멋있게 보여줄 수 있는 방법을 찾게 되었을 때, 많은 사람에게 이 이야기를 꼭 들려드리고 싶습니다.

국위선양

우리나라 사람들이 해외에서 활약하거나, 국가를 대표해 나라를 위해 노력하는 모습들을 볼 때, 정말 한국인이라는 것이 자랑스럽습니다.

그분들은 엄청난 책임감과 부담감을 가지고 계실 텐데도 불구하고, 매번 좋은 성과와 모습으로 증명해 주시는 것 같아서 정말 존경스럽고 감사합니다.

그분들은 국민들에게 많은 힘이 되어주고 있습니다.

저 역시 그분들을 보면서 많은 에너지를 얻곤 합니다.

예를 들면 축구 국가대표가 경기에서 승리했을 때 그 기쁨과 에너지는 꽤 오래 좋은 영향으로 이어지는 것 같습니다.

그 승리는 하루하루를 정말 힘차게 살아나갈 수 있는

에너지가 되죠.

하지만 나라를 대표한다는 것은 제가 상상도 할 수 없을 정도의 무게를 짊어진다는 것을 의미합니다.

그렇기에 우리는 그분들이 좋은 결과를 내지 못했을 때도 응원과 격려를 아낌없이 보내야만 합니다.

그래야 그다음 기회에 우리도 승리라는 에너지로 보답받을 수 있겠죠.

물론 가끔은 비판도 필요하다고 생각합니다.

하지만 비난은 절대 해서는 안됩니다.

힌트

얼마 전에 어떤 강의를 우연히 보게 되었는데, 그 강의에서 성공의 힌트를 찾고 싶다면 이른 새벽에 일어나 도서관에 가보라고 했습니다.

저는 그 말을 듣고 바로 다음날 새벽에 도서관으로 향했고, 그 이유를 단번에 알 수 있었습니다.

이른 새벽 도서관 앞에 주차되어 있는 차들은 차를 잘 모르는 저도 알 수 있을 정도의 고가의 차들이었고, 도서관 안에는 부티나는 사람들이 여유롭게 책을 읽고 있는 모습들을 볼 수 있었습니다.

그게 그 사람들이 성공한 이유인 것이죠.

똑같이 주어진 24시간을 누구보다 빨리 시작하고, 효율적으로 사용하는 것.

그게 그 강의에서 하고 싶었던 이야기가 아니었을까 싶습니다.

물론 부를 선천적으로 가지고 태어나는 사람들도 있을 겁니다.

하지만 제 생각에 그 부를 유지하고, 더 발전시키는 것은 더 이상 운이 아닌 노력과 실력입니다.

바이러스

본인 분야의 일을 하며 꾸밈없이 진정으로 행복해하는 모습이 자연스럽게 드러날 때, 그것을 보는 사람들 역시 그 감정을 느낄 수 있다고 생각합니다.

예를 들면 무대에 올라가서 대중들 앞에서 본인의 노래를 부르며 행복해하는 가수를 볼 때, 골을 넣은 축구 선수가 홈 팬들이 있는 곳으로 찾아가 어린아이처럼 행복해하며 세리머니를 할 때 우리는 그 에너지를 그대로 받을 수 있습니다.

평소에 남들에게 희망과 행복을 주는 사람이 되겠다는 다짐을 자주 하는데, 그렇기 위해서는 제가 그런 사람이 먼저 되는 게 중요하다는 것을 느꼈습니다.

제가 그런 사람이 되어야 그 바이러스를 남들에게 전달할 수 있을 테니깐요.

감사한 기회

야구를 그만두고 가장 처음으로 해보고 싶었던 직업은 지도자였습니다.

하지만 유학을 가려고 하면서 영어 공부를 시작해야 했고, 또한 선수들을 지도하기에는 저의 지식과 경험이 터무니 없었기에 당장 하기는 힘들겠다고 생각했습니다.

그렇게 1년이 지났고, 갑자기 유학이 불확실해지면서 방황하는 시간이 3개월 정도 생겼습니다.

저는 그 시간이 너무 아까워서 가장 해보고 싶었던 일을 해봐야겠다고 생각했습니다.

그래서 저는 긴 고민 끝에 어렸을 때부터 인연이 있던 감독님께 연락을 드려 "제가 코치가 되기에는 너무나도 부족하니, 선배의 역할로 아이들과 훈련하면서 도움을 주고 싶고, 경험을 쌓고 싶다" 라고 부탁을 드렸습니다.

정말 감사하게도 감독님은 흔쾌히 받아주셨고, 한 달 정도 어린아이들을 도와주며 함께 운동을 했습니다.

비록 너무 짧은 시간이었지만 지도자라는 직업이 제가 그동안 꿈꿔왔던 것만큼 매력적인 직업이라는 것을 깨달았습니다.

아이들과 함께 땀을 흘리며 아이들의 순수한 플레이와 성장을 가장 가까이서 볼 수 있다는 것이 너무 행복한 일이었습니다.

어린아이들이 야구장에 나와서 정말 세상을 다 가진 것 같은 행복한 표정을 하며 야구를 할 때, 어릴 적 제 모습과 겹쳐서 보였습니다.

결과에 집착하는 모습이 아닌, 그저 던지고 치는 게 좋아서 매일 같이 야구장으로 달려가던 제 모습이요.

저는 아이들이 그런 마음을 잃지 않기를 진심으로 바라지만, 너무 어려운 일이라는 것을 잘 알기에 선배로서 너무 분합니다.

저는 아이들이 앞으로 야구를 하면서 조금 이기적이어도 좋으니 자기 자신을 잃지 않고, 하고 싶은 야구를 마음껏 헤줬으면 좋겠습니다.

어린 시절 갖고 있는 그 야구를 시작한 본질적인 마음을 꼭 소중하게 간직하고, 지켜냈으면 좋겠습니다.

그렇다면 언젠가는 우리나라를 빛내는 선수가 될 수 있을 것이라 믿습니다.

저에게 좋은 경험과 기억을 선물해 준 선수들에게 정말 감사합니다.

저는 다시 새로운 공부를 하게 돼서, 언제 다시 운동장으로 돌아갈 수 있을지, 사실 돌아갈지도 잘 모르겠지만, 만약 그날이 온다면 꼭 부끄럽지 않은 모습으로 돌아가겠습니다.

목표

내가 힘들어했고, 고생했던 일을 똑같이 겪고 있는 사람들에게 힘과 용기가 되어주고 싶다.

충분히 잘하고 있다고, 죄지은 것이 아니라고, 혼자가 아니라고, 방법은 얼마든지 있으니 걱정하지 말라고 말해주고 싶다.

이런 내 목소리와 뜻을 전달할 수 있는 방법을 꼭 찾을 것이다.

만약 방법을 찾지 못한다면, 그 뜻을 전달할 수 있는 위치에 내가 직접 올라서겠다.

선택과 책임

고등학교를 입학하기 전에 저는 선수로서 저의 약점을 보완하기 위해 많은 비용과 시간을 투자했던 적이 있었습니다.

물론 결과적으로는 완전 실패였죠.

그 이후로 3년 가까이 그 약점인 파트에서 크게 방황했고, 그것에 대한 의욕과 자신감을 잃어 완전히 밑바닥으로 향했습니다.

누구의 결정도 아닌 나의 선택이었기에, 그 실패로 인해 제 선택에 대한 믿음이 많이 약해졌던 것 같습니다.

그래서 노력이라도 안 해야 제가 덜 억울할 것 같아서, 그 약점인 파트를 아예 놔버렸습니다.

못할게 뻔했고, 도저히 잘할 자신이 없었거든요.

그렇게 바보 같은 시간이 흐르던 중 "내 목표가 뭐였을까?"에 대해 진심으로 생각해 보는 시간을 가졌습니다.

그에 대한 답은 가장 높은 곳인 프로라는 곳이었죠.

그렇기 위해서는 그 약점을 어떻게든 보완해야만 했습니다.

그 점을 깨닫고 다시 한번 용기를 내서 도전했습니다.

그것을 느꼈을 때는 벌써 시즌 중반이었지만, 그래도 도전해야만 했습니다.

그 결과로는 시즌 초반에 가장 낮은 성적을 기록하고 있었던 저는, 시즌 후반 가장 높은 성적을 기록하게 되었습니다.

물론 결과적으로 그 이후 다른 부분에서 다시 무너져 선수를 그만두었지만, 오랜 시간 힘들어했던 분야에서 좋은 결과를 내봤다는 것과, 그것을 이루기 위해 노력했던 과정들이 있다는 것이 지금까지도 저한테는 너무 좋은 기억으로 남아 있습니다.

그리고 그 선택을 한 사람이 그 누구도 아닌 제 자신이기에, 좋은 결과가 따라왔을 때 다시 저를 조금씩 믿어볼 수 있게 되었습니다.

제가 살면서 부린 많은 고집들 중에 가장 잘 부린 고집은 항상 선택을 해야 하는 상황에서 결정을 스스로 했다는 것입니다.

물론 주변에서 저를 걱정하는 마음의 많은 의견들을 주시지만, 그 의견들이 참고는 되었지만, 제가 결정하는데 많은 이유가 되지는 않았습니다.

그렇게 많은 선택들을 스스로 하며 넘어져도 보고, 좋은 결과도 조금씩 내보고 하면서 내가 단단해지고, 고통에 조금씩 무뎌지는 것을 느낄 수 있었고, 그게 나를 더 강하게 만들어 주는 것 같았습니다.

그러니 저는 앞으로도 제가 하고 싶은 대로 결정하고, 책임도 제가 지고 싶습니다.

여태껏 그래왔듯이 제가 결정하는 데 있어서는 그 누구도 저를 방해할 수 없습니다.

易地思之

모든 사람이 저와 같지 않다는 것을 느낄 때, 저는 상대방을 더 배려하게 되고, 신중하게 하게 행동하게 되는 것 같습니다.

사람들은 자라온 환경도, 가치관도 다 다르니깐요.

그러니 설득을 시키려는 것보다는 그냥 인정하고 존중해 주려고 노력합니다.

그래도 그저 인간일 뿐이라 타인과의 갈등이 있을 때나, 상대방의 입장이 이해가 되지 않을 때가 있습니다.

그럴 때 저는 그 상황에서 잠시 벗어나 이성적으로 입장을 바꿔서 생각해 보려고 노력합니다.

감정에 끌려다니지 않고, 최대한 이성적으로 생각하려고 노력합니다.

그리고 남이 나에게 했을 때 기분이 나쁜 말과 행동을, 나도 누군가에게 했던 적이 있지는 않은지 생각합니다.

그러다 보면 생각보다 많은 것들이 이해가 되고, 존중해 줄 수 있게 됩니다.

굳이 맞춰갈 필요 없다고 생각합니다.

그냥 다르다는 것을 받아들이면 됩니다.

T

요즘 흔히 이야기하는 MBTI 중에 T가 현실적이고, 냉정한 성격을 이야기한다고 해요.

그래서 요즘 현실적인 모습을 보이는 사람을 보며 "너 T야?"라고 하는 밈이 유행을 하고 있어요.

하지만 저는 가끔은 사람들이 본인의 성향과 상관없이 T와 같은 태도를 가져야 한다고 생각해요.

그렇지 못하다면 T의 성향을 가진 사람을 주변에 두는 것도 좋은 것 같아요.

우리는 때로 약해지고 싶을 때가 있잖아요.

그걸 나쁘다고 이야기하고 싶지는 않지만, 그 기간이 길어지면 좋지 않다고 생각해요.

그 기간을 줄이기 위해서는 본인의 힘으로 노력하거나, 타인의 도움을 받는 방법이 있겠죠.

저 같은 경우는 T의 성향이 강하지는 않은 사람인데, 저렇게 약해지고 싶거나, 징징거리고 싶을 때 제 자신에게 이 질문을 던지곤 해요.

"그래서 달라지는 거 있어?"

징징거린다고 바뀌지 않는 것에 대해 계속 붙잡고 있는 것은 시간 낭비이고, 에너지 낭비예요.

그 질문 후에 스스로에게 말해요.
"어차피 할거면 빨리 일어나서 하고, 아니면 계속 낭비해. 그건 너의 선택이니깐."

이렇게 냉정해지려 노력하다 보면 그 약해지는 시간을 줄일 수 있는 것 같아요.

그리고 앞서 말했던 T 성향의 사람을 주변에 두면 좋다는 말의 예를 들자면 제가 되게 안 좋은 일을 당했을 때

친한 친구가 이렇게 이야기해 줬어요.

"이럴 때일수록 정신 바짝 차리고 어떻게 할 건지 방법 찾아"

그 당시에는 많은 사람들이 저에게 위로를 보내주고 있었는데, 그 친구 하나만 저에게 저런 이야기를 해줬어요.

근데 저는 저 말이 가장 와닿았고, 바로 정신을 차릴 수 있었어요.

어떻게든 그곳에서 빨리 빠져나와서 할 수 있는 것과, 해야 하는 것을 행동으로 실천하는 것이 가장 현명한 답이자, 방법인 것 같아요.

암기

야구를 그만두고 처음으로 공부를 하게 되었어요.

그 공부는 영어 공부였고, 영어 공부를 하기 위해 매일 같이 학원에 다녔어요.

제가 학원에 오래 다니면서 느낀 점이 있는데, 그것은 제가 남들보다 암기를 뛰어나게 잘하고, 또 그것을 즐긴다는 것이었어요.

다른 친구들은 단어 외우는 숙제가 있으면 정말 힘들어하고, 하기 싫어하는데, 저는 단어 외우기 숙제가 제일 편하고 좋았어요.

물론 어렸을 때부터 외우는 게 쉽다는 생각을 하긴 했었는데, 단순히 잘해서 암기가 재밌고 좋은 것은 아닌 것 같아요.

제가 암기를 좋아하는 가장 큰 이유는 암기는 정말 노력한 만큼 돌아온다는 것이에요.

세상에 노력으로 안 되는 것이 있다는 것을 느끼고 나서 한동안 정말 괴로웠는데, 그 이후에 바로 노력으로 되는 것을 하게 되니깐 정말 반가웠던 것 같아요.

암기는 정말 제가 본 만큼, 시간을 투자한 만큼 그대로 돌아왔거든요.

제가 제 노력으로 결과를 얻어 내는 게 그저 너무 기쁘고 행복해서, 누구보다 단어를 많이 보고 외웠던 것 같아요.

평범한 하루

예전에는 특별한 날이 항상 있기를 바랐고, 그런 날들이 진짜 소중한 것이라고 생각했어요.

근데 이제는 그저 그런 평범한 하루가 너무 감사하고 소중한 것이라는 것을 알게 되었어요.

마음대로 되지 않고, 무슨 일이 일어날지 모르는 세상에서, 어쩌면 평범이 가장 어렵고 힘든 것일 수도 있잖아요.

리더

저는 이렸을 때부터 야구를 해오면서 대표팀 포함 총 6개의 팀을 경험했습니다.

그리고 6개의 팀에서 생활을 하면서 주장을 5번 맡아서 했었습니다.

주장을 오랫동안 자주 해오면서 자연스럽게 항상 "좋은 리더란 무엇일까?"에 대해 고민해 왔던 것 같습니다.

어렸을 때는 단순히 무섭고 카리스마 있는 사람들이 좋은 리더라고 생각했습니다.

그때 당시에는 지도자 분들도, 형들도 무서웠기에 그런 생각을 했던 것 같습니다.

그런데 시간이 지나면 지날수록 리더는 무서워서 따라야만 하는 사람이 아닌, 따르고 싶은 사람이 되어야 한다는 것을 깨달았습니다.

소리만 지르고, 동료들을 존중하지 않으며, 행동보다 말을 더 많이 하는 사람들은 절대 좋은 리더가 아니라는 것이죠.

제 생각에 좋은 리더는 그 자리에서 얻을 수 있는 특권들을 빨리 버리면 버릴수록 좋은 리더에 가까워질 수 있는 것 같습니다.

그 특권을 누리며 만족하면서 생활할 수도 있지만, 그 특권을 포기하고 사람들에 신뢰를 얻기 위해 노력하는 것이 더 중요한 것이죠.

그리고 리더는 "해!"와 같은 명령보다는 "같이 해보자"와 같은 말을 더 많이 할 줄 알아야 한다고 생각합니다.

그런 말을 많이 할 줄 아는 사람에게서는 구성원들을 존중하는 마음과, 리더십을 더 많이 느낄 수 있다고 생각합니다.

동료들의 의견과 생각들을 존중하면서 함께 고민하고, 함께 생활하는 것이 신뢰를 얻을 수 있는 가장 올바른 방법이라고 생각합니다.

제가 가장 좋아하는 말 중에 하나가 "권위를 내세우지 않아도 중심에 서 있는"이라는 말입니다.

리더라고 직접 호소하지 않아도, 모두가 이미 따르고 있는 그런 사람이 좋은 리더가 될 자질을 갖추고 있는 것이죠.

그렇다고 제가 정말 완벽한 좋은 리더였기에 이렇게 글을 쓸 수 있는 것은 아닙니다.

저 역시 많이 부족했고, 후회되는 순간들이 정말 많습니다.

하지만 제가 여태껏 리더로서의 경험을 많이 할 수 있었던 이유가 분명히 있다고 생각합니다.

그 이유라면 앞으로도 리더를 할 수 있는 기회가 더 많이 찾아오겠죠.

그 순간이 왔을 때 지금까지 제가 해왔던 말을 지키기 위해 이렇게 다짐과도 같은 글을 기록하고 있습니다.

더 좋은 리더가 되기 위해 노력하고, 희생하겠습니다.

삼촌의 조언

"호근아.

항상 뭐가 되기 위해 너무 애쓰지 마렴.

너는 여태껏 뭐가 되려고 오랫동안 살아왔으니, 이제부터는 그냥 하고 싶은 거 해보면서 살아.

그러다 보면 뭐라도 하고 있을 거야.

삼촌이 지금 이 일을 하게 될지 누가 알았겠니?

가는 길을 정해 놓지 말고, 그냥 가다가 마음에 드는 데 있으면 그 길로 가.

너무 먼 미래를 생각하면서 스트레스받지 말고, 그냥 하루하루를 살면 되는 거야.

놀고 싶으면 놀아도 보고, 돈 모아서 해외여행도 다녀보고, 그리고 디아블로도 해봐 ㅋㅋ

아 근데 게임하면서 절대 욕은 쓰지 마라.

삼촌도 하거든....^^"

Respect

최근에 학원에서 영어 공부를 도와주셨던 선생님이 한 분 계세요.

그 선생님은 정말 스파르타 식으로 학생들을 가르치시던 분이셨어요.

특히 숙제의 양이 지금 생각해도 정말 많았었는데, 그럼에도 불구하고 학생들이 따라갈 수밖에 없었던 이유가 있어요.

선생님은 제가 여태껏 만났던 몇몇의 교육자들과는 조금 다르셨어요.

제가 전에 만났던 교육자 분들 중 몇 분은 학생들과의 비교나, 학생들을 디스를 하는 경우가 많았어요.

예를 들면 "작년에 졸업한 너네 선배들처럼 하지 마라"
와 같은 말들을 아무렇지도 않게 하는 분들이 많았어요.

하지만 그분은 절대 장난으로라도 본인의 학생을 디스
하지도, 남들과 비교하지도 않으셨어요.

본인이 가르친 학생이라는 자부심과, 그 학생들의 앞날
을 책임져야 한다는 책임감이 말을 직접 하지 않으셔도
정말 강하게 느껴졌어요.

자신감도 정말 상당하신 분이셨고요.

그래서 그 선생님께서 아무리 숙제를 많이 내주시고, 때
로는 냉정하게 현실을 말해주시며 우리를 혼내실 때도,
따라갈 수밖에 없었고, 따라가고 싶었어요.

그 선생님께서 해주셨던 말씀이 아직도 기억으로 남아
있어요.

"내 학생이 낙제되는 것은 절대 용납이 안된다"

엄청난 책임감이 느껴지는 말이었고, 정말 강한 마인드와 멘탈을 가지신 분이라는 것을 저 말로 인해 한번 더 느낄 수 있었어요.

그 말을 듣고 다짐했어요.

"내가 언젠가 누군가를 교육할 수 있는 정말 감사한 기회를 받을 수 있다면, 선생님의 반의 반만이라도 따라갈 수 있는 교육자, 지도자가 되야겠다"

러닝

선수 때 러닝이라고 하면 항상 한숨만 나오고, 너무 하기 싫었던 훈련이었는데, 선수를 그만두고 몸을 유지하기 위해 러닝을 하면서 "러닝이 이렇게 좋은 거였구나"라는 것을 느끼고 있어요.

내 두다리로 가고 싶은 곳을 계획 없이 막 가보면서, "집 주변에도 되게 좋은 곳이 많았구나"라는 것을 이사 온 지 4년 만에 알게 되었어요.

그리고 뛰다 보면 무엇보다 잡생각이 많아 없어지는 것 같고, 생활 루틴에도 정말 큰 도움을 주는 것 같아요.

규칙적인 생활을 하고 싶거나, 생각이 많아서 답답한 사람들에게 러닝을 시작해 보는 것을 적극적으로 추천해요.

시선

야구 선수가 되지 못했을 때, 유학을 가지 못했을 때, 아예 안 힘들었다면 거짓말이지만, 운이 좋게도 다른 길을 빨리 찾을 수 있었어서 그래도 괜찮았어요.

그것보다 저를 불쌍하게 보는 시선들을 감당하는 게 더 힘들고 싫었어요.

제가 조금 넘어졌다는 이유로 지나치게 안쓰러워하고, 망했다는 듯이 이야기하는 사람들이 많았는데, 그게 넘어졌을 때 아픔보다 더 크더라고요.

물론 남들이 하는 말에 쉽게 흔들리지 않으려고 노력하고, 그럴 자신도 있지만, 가까운 사람들이 그럴 때는 솔직히 버티기 힘들더라고요.

그래서 이를 더 꽉 깨물고 말한 것을 지키기 위해 더 독해지려고 마음먹었어요.

조금 넘어지고 다쳤을지라도, 그게 실패한 인생이 되도록 내버려두지 않을 거에요.

제가 목표로 삼은 것과, 말로 뱉은 것들을 무조건 이룰 거에요.

그리고 난 절대 망하지 않았다는 것을 증명할 겁니다.

묵묵히

하루를 묵묵히 정말 최선을 다 해 보내는 것.

너무 멀리 보며 막막함을 느끼는 것보다, 그저 찾아온 하루하루를 묵묵히 사는 것이 더 중요한 것 같습니다.

이 책을 쓰는 과정으로 예를 들면, 책에 들어갈 키워드를 100개 정도 정해서 그것에 맞게 글을 작성했는데, 책을 쓰기 전에는 "이 많은 키워드를 언제 다 정리해서 완성하지?" 하며 굉장히 막막해했었습니다.

근데 급하게 생각하지 않기로 마음먹고, 시간이 오래 걸리더라도 하루에 딱 하나씩만 최선을 다 해 작성하기로 결정했습니다.

그러고 나서 정말 하루도 빠짐없이 작성했고, 그 결과 제가 계획했던 날 보다 빨리 책이 완성되었습니다.

큰 성공은 한번에 찾아오는 것이 아니라, 꾸준히 하루하루를 최선을 다 해 살면서, 사소한 성취와 성공이 쌓이면서 점점 커져서 돌아오는 것이라고 믿습니다.

孟子

"하늘이 장차 그 사람에게 큰 일을 맡기려고 하면 반드시 먼저 그 마음과 뜻을 괴롭게 하고, 근육과 뼈를 깎는 고통을 주고, 몸을 굶주리게 하고, 그 생활을 빈곤에 빠뜨리고, 하늘 일마다 어지럽게 한다.

그 이유는 마음을 흔들어 참을성을 기르게 하기 위함이며, 지금까지 할 수 없었던 일을 할 수 있게 하기 위함이다."

탓

주변에서 저의 실패를 남의 탓으로 돌리면서 저를 위로 해주려고 하는 경우가 많습니다.

물론 제가 너무 안타깝고, 아쉬워서, 위로를 목적으로 해주시는 말들이지만, 저는 그러한 위로는 전혀 힘이 되지 않습니다.

그리고 진심으로 저는 저의 실패들이 타인의 탓이라고 생각하지 않습니다.

비록 타인의 영향이 있다고 한 들, 그 실패는 저의 실패일 뿐입니다.

그리고 그 실패들은 분명 저한테 필요한 일이었을 겁니다.

그 과정에서 어떤 일들이 있었든 간에, 지금까지의 결정들은 모두 나의 결정이었기에 남을 탓하는 것은 절대 옳지 않은 일입니다.

제가 할 수 있는 일은 그저 받아들이고, 그 과정에서 배우는 것뿐이겠죠.

그리고 저는 또한, 그 선택들이 옳았는지, 아닌지가 단순히 당장의 결과로만 판단이 되어서는 안 된다고 생각합니다.

결과와는 상관없이 저는 많은 경험들을 했고, 그 경험들에 진심으로 감사합니다.

그리고 제가 했던 결정들이 절대 후회가 된 적도 없죠.

저는 냉정할 정도로 후회를 잘하지 않습니다.

그런 저를 보며 사람들은 "네가 결과에 후회 하지 않는 것은, 그만큼 간절하지 않았던 것이야"라고 말합니다.

가끔은 솔직히 저도 그런 생각을 하곤 합니다.

"왜 나는 이렇게 단념이 빠르지?, 왜 후회가 전혀 되지 않지?"

그런데 시간을 가지고 저를 돌아보면 제가 진심이지 않았던 것은 절대 아닙니다, 오히려 그 반대죠.

그 누구보다 간절했고, 노력했기에 후회가 없는 걸지도 모릅니다.

내일 그만둬도 후회하지 않을 정도로 매일을 열심히 했기 때문에, "이 정도로 했는데도 안 되는 거면 안 되는구나"라는 것을 빨리 느꼈을지도 모릅니다.

그랬기에 솔직히 허무한 적도 꽤 많았습니다.

"그 노력들과 시간들이 낭비였나?"라고 생각한 적도 있습니다.

하지만 지금은 아닙니다.

이런 과정들이 모여서 언젠가는 저에게도 해가 뜨지 않을까 생각합니다.

사람에게는 다 때가 있는 법이니, 저는 그 때를 기다려 보겠습니다.

마음가짐

항상 긴장되는 상황이나, 압박이 있는 상황이 찾아왔을 때, 그 긴장을 이기려고 애쓰는 것이 아니라, 그 상황을 대처하기 위해 노력하는 것.

완벽을 추구하는 것보다, 매 순간마다 그저 대처해 내고, 그 상황을 무사히 넘기려고 하는 것.

이게 제가 생각하는 가장 훌륭한 마음가짐입니다.

완벽하려고 애쓰면 늘 탈이 나잖아요.

조금은 꼬이더라도, 그 상황 속에서 꾸역꾸역 버티고, 어떻게든 벗어나기만 하면 되는 거에요.

물론 항상 정직해야 하고, 나다움을 잃어서는 안 되겠죠.

음악의 힘

저는 제가 생각이 너무 많거나, 멘탈적으로 조금 산만할 때, 그것을 진정하기 위한 저만의 방법이 있습니다.

그것은 바로 음악을 듣는 것인데요. 그냥 듣는 게 아니라, 이어폰으로 양귀를 막고 주변 소음이 들리지 않도록 설정합니다.

그리고 음악 전체가 아니라, 음악을 구성하는 요소들을 들어보려고 집중합니다.

예를 들면 비트와 악기 같은 부분들에 집중하려고 하는 것이죠.

그렇게 평소에는 쉽게 들을 수 없었던 소리들의 집중하다 보면, 조금 차분해지고, 생각을 좀 돌릴 수 있는 것 같습니다.

그리고 하나 더 있다면, 노래의 가사를 들으려고 노력합니다.

노래의 가사를 해석해 보고, 가수가 리스너들에게 하고 싶은 말이 무엇이었는지 고민하다 보면, 그 과정에서 위로를 받게 되는 것 같습니다.

이러한 이유들로 저에게 있어 음악이 주는 영향은 너무나도 강합니다.

음악은 저에게 너무 소중하고 고마운 존재입니다.

휴식

열정, 노력.

너무 좋고, 필요한 것들이지만 그것도 에너지가 있을 때 해야 효율성이 더 높아진다고 생각해요.

근육도 휴식할 때 생기고, 기계도 쓴 후에는 충전을 해야 하는데, 많은 사람들은 그 휴식 시간을 낭비와 나태로 여기는 것 같아요.

저 역시 강박으로 인해 잘 쉬지 못했던 기억들이 많아요.

쉬면 제로로 돌아가서 다시 처음부터 해야 하는 것은 아닐까 두려웠고, 남들에게 뒤처지는 것은 아닐까 무서웠어요.

그런데 정말 확실히 느꼈던 것은 휴식을 했을 때와 그렇지 못했을 때는 집중도와, 무언가를 느끼는 속도 자체가 확연히 달라요.

노력과 노동을 확실히 구분해야 한다고 생각해요.

물론 정말 어려운 것이라는 걸 잘 알아요.

무엇을 해야 한다는 생각이 나를 계속해서 괴롭히고, 우리 사회가 그런 환경을 만들거든요.

그런데 진정한 강자는 자신을 몰아 붙이는 사람이 아니라, 자신을 편히 쉬게 해 줄 수 있는 여유와 믿음을 가지고 있는 사람이라고 생각해요.

"밀림의 왕인 사자가 전쟁 같은 그곳에서도 편히 배를 까 뒤집고 정말 오래 잘 수 있는 것처럼", 본인을 편히 쉬게 해 줄 수 있는 여유와, 자신에 대한 믿음과 같은 부분들이 지금 우리에게 꼭 필요한 요소일 거에요.

하면 된다?

잠에 들기 전에 잔잔하게 라디오를 듣고 있었는데, 그 라디오를 진행하는 분께서 말씀하셨어요.

"하면 된다라는 생각 보다, 되면 한다라는 생각이 더 필요할 수도 있어요"

저는 그 말을 듣고 매우 공감했어요.

최선을 다 했다는 가정하에 안 되는 것을 끝까지 고집하는 것보다, 안 되는 것을 인정하고 되는 것을 하기.

이런 자세를 보며 그저 끈기 없는 사람으로 생각하실 수 있겠지만, 사실 포기하고 내려놓는 것이 더 큰 용기와 각오가 필요한 것이라고 생각해요.

꿈과 시간과 노력만 있으면 다 할 수 있다고 믿었는데, 그게 아니었다는 현실을 알게 될 때 얼마나 상심이 큰

지 많은 사람들이 아실 거에요.

그 일을 꼭 해내야 한다는 부담감보다, 마음을 편하게 먹고 잘할 수 있는 일에 집중하려는 자세도 괜찮다고 이 글을 통해 주변사람들과 제 자신에게 말하고 싶었어요.

요즘 친구들과 자주 하는 이야기 중 하나가 "왜 우리가 벌써 21살이지?" 이거예요.

물론 아직까지도 엄청나게 어린 나이지만, 그래도 시간이 꽤 빠른 것을 체감하고 있어요.

그래서인지 지금 제 나이 정도 때 큰 용기를 내서 업적을 남긴 사람들을 생각해보면 더욱더 대단하게 느껴지는 것 같아요.

그 나이가 지나가고, 그 나이가 실제로 직접 돼 보니깐 "정말 엄청난 용기였구나"라는 것을 느끼며, 더 존경하게 되는 것 같아요.

예를 들면 지금의 저보다 어리셨을 때 독립운동을 하신 유관순 선생님과 같은 분들을 생각해 보면 그 용기의 말문이 막혀요.

물론 그분들과 저를 비교하면서 "나는 보잘것없네" 하며 자책하고, 열등감을 느끼자는 것이 아니라, 더욱더 겸손하게 되고, 존경하게 되고, 앞으로의 젊음들을 그분들의 몫까지 부끄럽지 않게, 더 멋있게 보내어야겠다는 책임감을 가지게 되는 것 같아요.

No one knows

해보기 전까지는 정말 아무도 모릅니다.

우스꽝스러운 이야기 하나 해보자면, 친구랑 축구를 하다가 공에 바람이 빠져서, 바람 넣는 것을 찾기 위해 이리저리 돌아다니고 있었습니다.

그러던 중 저 멀리서 바다 가면 모래 털어주는 기계를 발견했습니다.

그것을 보면서 제가 장난으로 친구한테 "야 저걸로 바람 넣을 수 있냐?"라고 이야기했는데, 친구가 진지하게 받아들여서 "야 가보자" 하면서 저를 끌고 그쪽으로 향했습니다.

저는 이게 무조건 안될 거라고 생각하고, 멀리 떨어져서 친구를 바라보고 있었는데, 친구가 몇 초 있다가 저를 보며 씩 웃었습니다.

그 공은 거짓말 같이 빵빵해졌고, 저는 그것에 놀랐습니다.

정말 바보 같은 에피소드이지만, 그날 저는 느꼈습니다.

"해보기 전까지는 아무도 모르는구나, 생각으로 먼저 판단해서 결과를 스스로 정해버리면, 할 수 있는 일임에도 시도조차 못해볼 수 있겠구나"

오늘의 일상에서 얻게 된 재밌는 교훈의 진심으로 감사합니다.

스타

좋아하는 가수 분의 공연을 보러 왔는데, 버스킹 공연이라 가수 분 뒤에도 자유롭게 관객이 있었어요.

가수 분 뒤에 한 어린아이가 정말 몰입해서, 눈에서 하트를 내뿜으면서 가수분을 바라보며 노래를 감상하는 모습을 보게 되었어요.

저는 그 장면이 너무 아름답게 느껴졌습니다.

그 아이에게는 그 가수 분이 꿈이 될 수도 있는 것이고, 그렇게 그 아이가 자라나서 또 다른 사람들에게 꿈을 나눠줄 수도 있는 것이죠.

저는 이 현상이 너무 아름다운 것 같아요.

저도 그런 존재가 되고 싶거든요. 누군가의 꿈이 되거나, 꿈을 나누어 줄 수 있는 존재.

친구

얼마 전에 정말 살면서 처음으로 제가 직접 공부하고, 준비해서 시험을 봤었어요.

살면서 시험을 진지하게 보는 것이 처음이기도 하고, 또 시합과는 다른 긴장감과 압박감이 있더군요.

그 시험이 다가오면 다가올수록 되게 예민해지고, 사소한 거에도 감정이 왔다 갔다 했었는데, 이런 게 겉으로 티가 많이 났었나 봐요.

그 모습을 본 친구들이 조심스럽게 저에게 해준 이야기가 "네가 잘하는 거 네가 가장 잘 알 거야, 우리는 네가 너무 완벽하려 하지 않았으면 좋겠어."라고 말해줬어요.

그 이야기를 듣는 순간 저도 조금 편해졌고, 집에 와서 조금 더 깊숙이 생각해 보니, 저도 제가 잘하고 있다는 것을 사실 알고 있었던 것 같아요.

그렇기에 무너지는 게 두려워서 "나는 부족하다"라는 생각을 일부로 했던 게 아닐까 싶어요.

연료가 없어질까 봐, 나태해질까 봐, 계속 자신에게 채찍질을 했었나 봐요.

물론 그게 꼭 나쁘다고는 생각하지는 않지만, 너무 과하면 자신이 너무 힘들어질 것 같다고 생각했어요.

자기 자신에게 좋은 말 자주 해주고, 좋은 생각 자주 하려고 노력하는 사람에게 좋은 일이 일어나는 법이라고 항상 믿어왔는데, 막상 그렇지 못했다는 것을 느꼈어요.

정말 주변에 좋은 친구들을 두는 게 중요한 것 같아요.

그 사람들로 인해 고민하는 시간을 줄일 수 있고, 진정한 나를 찾을 수 있다고 생각해요.

제가 친구들 덕에 부담을 조금 내려놓고, 자신을 돌아볼 수 있었던 것처럼요.

그 이후 그 시험에서 학원 내 가장 높은 점수를 받았어
요.

물론 아쉽게도 그 점수가 지금 저에게는 쓸모가 없어졌
지만, 그것을 준비하는 과정과, 거기서 만난 인연들은 절
대 쓸모없지 않아요.

겸손

최근 몇 년 동안 많은 일들을 겪으면서 "정말 세상에서 내 마음대로 되는 일이 없구나"라는 것을 크게 느끼고 있어요.

그런 부분을 느끼면서 저에게 사소한 기회가 주어져도 정신 차리려고 하고, 더욱더 겸손해지려고 하게 되는 것 같아요.

세상에 당연한 것은 단 하나도 없는 거잖아요.

저에게 당연하게 혜택들이 찾아와야 하는 것이 아닌, 제가 원하는 게 있으면 노력해서 얻어야 하는 거죠.

항상 조금 잘 된다고 안주하지 말고, 자만하지 말고, 그렇다고 안된다고 자책하거나, 주눅 들 필요도 없다고 생각했어요.

마음대로 어떻게 할 수 없는 결과와는 상관없이, 항상 낮은 자세에서 꾸준히 하루하루를 최선을 다 해 보내려는 태도와 함께 살아갈게요.

배구

오늘 살면서 처음으로 배구 경기를 직관했어요.

제가 해왔던 것과 종목은 달랐지만, 선수들에게서 제가 선수였을 때 저에게서는 볼 수 없었던 모습들을 볼 수 있었어요.

선수들이 배구를 정말 즐기면서 플레이를 하는 것 같았고, 그저 배구를 하는 것 자체가 너무 행복해 보였어요.

그리고 실수를 했을 때, 그것을 받아들이는 자세가 달랐어요.

그냥 **툴툴** 털어버리고, 같이 모여서 이야기하면서 다시 긴장을 풀고, 다음을 준비하는 모습이 보기만 해도 가슴이 뛰었어요.

실수한 선수들에게서 다시 만회할 수 있다는 자신감이 강하게 보였고, 주변 동료들 역시 그렇게 믿는 것이 느껴졌어요.

그리고 제가 마지막으로 느낀 점이 하나 있어요.

조금 깊게 들어간 것 일수도 있는데, 모든 프로 스포츠 선수들이 정신적으로 정말 힘들 수도 있겠다고 생각했어요.

콘서트장 같은 열기와 함성으로 가득한 그 장소에서 경기를 하다가, 경기가 끝난 후 선수들에게 찾아오는 공허함을 버티는 것이 힘들겠다고 생각했어요.

저는 그 정도의 환경이 아니어도 시합이 끝나면 공허하고, 허전한 마음이 항상 있었는데, 프로 선수들이 받을 스트레스는 감히 상상할 수도 없네요.

그런 생각을 하면서 종목과 상관없이, 더욱더 선수들을 존경하게 되는 것 같아요.

제가 꿈꾸던 자리에 있는 선수들은 그런 부분들을 다 이겨내고, 극복해낸 선수 들이기에, 더 대단하게 느껴지고, 응원하게 됩니다.

TMI

계속 너무 무거운 이야기만 했던 것 같아요.

물론 앞으로 할 이야기들이 더 무겁지만, 이쯤에서 잠시 쉬어갈 겸 재미있는 에피소드를 하나 이야기 하고 싶어요.

어렸을 때부터 운동을 같이 하던 친한 동생이 비시즌에 복싱을 다니면서 훈련하려고 체육관에 갔었는데, 얼마 못 다니고 바로 그만뒀대요.

그 귀엽고, 착한 이유를 알려드릴게요..

동생: 복싱 안 할래. 맞으면 너무 아파.

동생 아버지: 그럼 안 맞고 네가 때리면 되잖아.

동생: 그럼 상대방도 똑같이 아플 거잖아.

박은자

최근 몇 년 전부터 친할머니께서 몸이 많이 안 좋으시다는 소식을 접해 왔어요.
근데 그 당시에는 솔직히 엄청나게 슬프거나 그렇지는 않았어요.
왜냐하면 저는 할머니가 저를 버렸다고 생각했었거든요.
할머니는 정말 어렸을 때 몇 번 말고는 저를 만나 주시지 않으셨어요.
이유는 잘 몰랐지만, 어릴 때는 할머니가 밉기도 하고, 서운 했었어요.
그래서 부모님이 친할머니에 대해서 이야기를 하실 때에도 별로 관심 없는 척했어요.
그런 저의 반응을 보며 부모님은 "그래... 너는 할머니에 대한 기억이 없으니 그럴 수 있지."라는 식으로 항상 말씀 하셨어요.
그런데 사실 저는 할머니에 대한 기억이 정확히 남아있거든요.

물론 많이 뵙지는 못했기에 기억이 많지는 않지만, 어렸을 때 할머니 집에 놀러 간 기억, 할머니가 주셨던 스티커, 할머니 집에 있던 강아지까지 전부 다 생생하게 기억나요.

그런데 어느 순간부터 할머니는 저를 만나주지 않으셨어요.

할아버지한테 할머니가 보고 싶다고 이야기해도 할아버지는 매번 답을 피하셨고, 부모님 역시 할머니에 대해 정확히 이야기해 주시지 않으셨어요.

그러니깐 어린 마음에 저는 "할머니가 나를 버렸구나" 라고 생각했었던 것 같아요.

그렇게 저는 오랜 시간 동안 "나한테 할머니는 외할머니 한 분 밖에 안 계신 거야" 라고 생각하며 살아왔어요.

그런데 얼마 전에 친할머니가 몸이 많이 안 좋으시다는 것을 알게 되었고, 할머니를 뵈러 병원에 잠깐 가게 되었어요.

물론 정말 잠깐 봤어요, 5분도 안 되는 시간이었죠.

그럼에도 불구하고 기분이 이상하고, 마음이 너무 안 좋았어요.

내가 기억하던 할머니의 모습은 더 이상 아니었어요.

그런 할머니를 보며 저는 아무 말도, 아무것도 할 수 없었어요.

부모님과 할머니가 잠깐에 시간 동안 나누는 인사와 대화를 그저 굳은 몸과 함께 바라볼 수밖에 없었어요.

그날 이후로 할머니에 대해 조금 더 듣고 알게 되었어요.

물론 많이는 아니고 정말 조금 알게 되었지만, "할머니도 할머니 나름대로 많이 힘드셨겠구나"라는 생각을 하게 되었고, 할머니를 미워했던 제 자신이 너무 부끄러웠어요.

그렇게 할머니에 대한 오해가 조금 풀리고, 그 일 이후로 할머니가 몸이 다시 좋아지고 계시다는 소식을 들었고, 속으로 정말 다행이라고 생각했어요.

그러나 그리 얼마 지나지 않아서 다시 건강이 악화되셨고, 심지어는 곧 돌아가실지도 모른다는 소식을 듣게 되었어요.

그 소식을 듣고 가족들과 함께 할머니를 모시고 있었던 병원에 방문했어요.

마지막으로 봤던 할머니의 모습 보다 더 안 좋아지셨고, 할머니는 숨을 정말 힘겹게 쉬고 계셨어요.

의식은 없으셨지만, 가족들이 할머니에게 하는 말들을 다 듣고 계신 것 같았어요.

그리고 할머니 또한 가족들에게 말을 하시는 것 같았어요.

분명 의식이 있으셨다면 훌쩍 커버린 저와 형을 보며 "많이 컸구나, 멋있어졌구나"라고 하시며 머리를 쓰다듬어 주셨을 거에요.

할머니에 얼굴은 기억이 나도, 할머니의 목소리와 손길은 기억이 나지 않았는데, 마지막까지 기억할 수 없게 되었네요.

의사의 부탁으로 가족들은 모두 집으로 귀가한 후, 할머니는 새벽에 홀로 세상을 떠나셨어요.

가족들이 병원을 찾았을 때에는 수치가 정상이셨어서, 다른 환자분들에게 피해가 가기에 그 자리를 지킬 수 없었고, 결국 아무도 임종을 지켜드리지 못했어요.

아마 할머니는 우리가 슬퍼하는 모습을 보고 싶지 않으셔서 홀로 가시는 것을 선택하셨겠죠.

부디 꼭 좋은 곳으로 가셔서 편히 쉬셨으면 좋겠어요.

그리고 시간 괜찮으실 때 꿈에라도 한번 나와주셔서, 목소리도 좀 들려주시고, 한번 쓰다듬어 주세요.

그리고 지루해도 좋으니 그동안 못했던 밀린 이야기들 엄청 해주세요.

저도 제가 어떻게 컸는지, 요즘을 뭘 하는지, 앞으로 뭘 할 건지 빠짐 없이 다 말씀드릴게요.

꼭 나와주세요.

기다릴게요 할머니.

이별 후

할머니 천국 잘 도착하셨죠?

저희는 할머니를 보내 드리고, 이제 다시 일상으로 돌아가려고 해요.

할머니 자녀들도 이젠 할머니가 기억하시던 젊고 쌩쌩한 젊은이들이 아니라, 밤을 새우며 할머니를 지키는 일이 정말 쉽지는 않았을 거예요.

하지만 다들 최선을 다 해 할머니 곁을 지켰어요.

든든하셨죠 할머니?

할머니는 정말 많은 것을 바꿔주시고 가셨어요.

어색했던 가족들 사이도 할머니를 지키면서 다시 가까워진 것 같고, 서로 가지고 있던 오해와 서운함들을 많이 풀고 정리하신 것 같아요.

식이 끝난 지 얼마 되지도 않았는데, 벌써 다음 만남을 기약하며 서로 설레어하는 모습들이에요.

할머니가 원하시던 게 이런거 맞죠?

앞으로 가족들끼리 엄청 자주 볼거래요.

저도 그 날은 친구들이랑 약속 안 잡고 꼭 나갈게요.

할머니와의 부족한 추억들이 앞으로도 계속 아쉬움으로 남을 거에요.

할머니도 그렇시겠지만, 아쉬운 만큼 하늘에서 잘 지켜주세요.

부끄럽지 않게 잘 클게요.

그곳에서는 그동안 키우셨던 강아지들과 함께 좋은 시간 보내셨으면 좋겠어요.

그동안 정말 고생 많으셨어요.

자주 기도할게요 할머니.

교훈

힘든 일이 찾아왔을 때에는 기꺼이 받아들이고, "이번에 신이 주실 교훈은 무엇일까?" 고민하며 감사의 마음을 가지기.

힘든 시기가 지났을 때에는 신이 이번 일을 통해 나에게 주셨던 교훈이 무엇이었는지 잊지 않고, 겸손하며 살아가기.

롤모델

어렸을 때부터 정말 존경하는 가수 한 분이 계신데, 저는 그분으로부터 긍정적인 영향을 정말 많이 받았습니다.

물론 실제로 인연이 있다거나 그런 것은 아니지만, 그분의 노래로, 도전으로, 책으로, 강의로 많은 용기를 얻을 수 있었고, 많이 배웠고, 제가 가지고 있던 물음표들을 많이 지울 수 있었습니다.

그분의 책을 20번도 넘게 읽으면서 "나도 책을 쓰고 싶다."라는 꿈을 가지게 되었고, 그분의 노래 가사 속에 구절들은 항상 저에게 용기와 위로를 주었으며, 그분이 두려움에 맞서 싸우며, 도전할 때에는 그분을 진심으로 존경하게 되었습니다.

이렇게 그분을 좋아하고, 응원한지 10년 정도가 돼 가는데, 제가 처음 그분을 멋있다고 느낀 그 순간부터 지금까지 단 한 번도 도전을 멈춘 적이 없으시기에, 정말 대단하다는 생각 밖에 할 수 없는 것 같습니다.

앞으로도 저의 용기가 돼주셨으면 좋겠고, 앞으로의 활동과 행보에도 진심으로 응원합니다.

그분과 저를 절대 비교할 수는 없지만, 같은 사람이기에 그분이 냈던 용기를 저 역시 못 낼 이유가 없다고 생각합니다.

갈 길이 너무 멀겠지만 조금씩 그의 뒤를 쫓아가볼게요.

여유

고등학교 2학년 때 글러브에 "용기"라는 두 글자를 자수로 새겼었습니다.

"언제 어느 순간에도 용기를 가지고 부딪혀보자"라는 각오와 함께 자수를 새겼었는데, 그 글러브를 가지고 한 시즌 동안 야구를 하면서 한 번도 그 자수를 본 기억이 없습니다.

"대체 얼마나 여유가 없고, 급했으면 글러브에 있는 자수 하나 보지 못했을까?" 하는 생각이 듭니다.

하나에만 집중하다 보면 오히려 그것을 바라보는 시야가 흐릿해지기 마련인데, 그 당시 저는 그것을 몰랐던 것 같습니다.

때로는 시선을 돌리고, 생각을 돌려야 더 집중도 잘 되고, 더 잘 보이는 법인데 말이죠.

너무 앞만 보고 달리다 보면 놓치는 것이 많습니다.

가끔은 속도를 줄이고, 걸어도 좋고, 멈춰도 좋고, 잠시 돌아가도 좋습니다.

주변을 한번 보고, 만져보고, 냄새도 맡아보며 숨을 돌릴 여유가 우리에게는 꼭 필요합니다.

Profile

제 주변에 SNS를 정말 열심히 하는 형이 있는데, 그 형이 이야기하길 "SNS는 나를 소개할 수 있는 프로필과 같은 거야"라고 했어요.

저는 그 말을 듣고 "SNS를 잘하지 않는 나에게는 나를 소개할 수 있는 프로필이 뭐지?"에 대해 생각하게 되었고, 저는 그에 대한 답으로 이 책을 꼽았어요.

제가 가까운 사람일수록 표현을 잘하지 못하는 성격이라, 먼 사람은 물론, 가까운 사람마저 저에 대해 잘 알지 못한다고 생각했어요.

그래서 매번 어떤 생각이 들거나, 기억하고 싶은 일이 있으면 글로 정리하는 습관이 생겼어요.

말로는 못할 것 같지만, 글로는 쓸 수 있었거든요.

그래서 저는 이것을 모아서 언젠가는 나라는 사람이 무슨 생각을 하는지, 어떤 삶을 살아왔는지에 대해 말하는 책을 내야겠다고 다짐했어요.

그 다짐으로 인해 이 책이 탄생했고, 이 책이 이제는 곧 저의 프로필이에요.

일찍 크는 아이들

운동을 하는 아이들이 조금 빨리 크는 경향이 있는 것 같아요.

신체적인 부분을 이야기하는 것이 아닌, 마음적으로 빨리 성숙해지는 경우가 많다는 이야기예요.

어릴 때부터 많은 경쟁을 해야 하며, 매 시합이 진학과 진로를 위한 시험이고, 그리고 특히 단체 생활을 일찍 시작하면서 계급이 존재하는 사회를 일찍 경험하다 보니, 조금 늦게 깨달아도 되는 부분들을 빨리 깨닫는 경우가 많은 것 같아요.

대부분에 어린 선수들이 티를 잘 안 낼 수도 있고, 겉보기에는 철없어 보일 수도 있지만, 정말 어린 선수들조차도 스포츠가 비용적으로 많은 부담이 든다는 것을 알기에 부모님께 죄송한 마음과 감사한 마음을 항상 가지고 있고, 그런 아무도 알 수 없는 미래에 대해 불안해 하는 모습을 보이더라고요.

저 역시 그런 부분을 빨리 깨닫고, 빨리 큰 편이라고 생각하지만, 주변 후배들이나 어린아이들에게서 빨리 컸다는 느낌을 받으면 너무 마음이 아파요.

처음 시작 했을 때는 분명 무서운 것도 없고, 아무것도 모르고 단지 좋아서만 했을 텐데, 경력이 조금씩 쌓이게 되면서 현실을 알게 되고, 조금씩 무거워져 가는 어린 선수들의 어깨를 볼 수 있어요.

그런데 정말 아주 소수에 선수들은 그걸 알고 있음에도 불구하고 똑같이 행동하는 친구들이 있어요.

겁먹지 않고, 자신을 믿고, 어렸을 때부터 주변에 소음을 차단하고 본인에게 집중할 수 있는 선수들이 있어요.

그런 선수들은 정말 드물지만, 저는 다른 선수들도 그래 줬으면 좋겠어요.

너무 일찍 크지 말고, 어린아이의 마음을 조금이라도 늦게 잃었으면 좋겠어요.

인연

아무것도 아닌 나를 정말 좋게 봐주고, 믿어주고, 잘 챙겨주는 사람들에게 너무나도 감사합니다.

사실 이런 감사한 인연들을 놓치거나, 부담스러워서 피하는 경우가 많았는데, 앞으로는 그러지 않고 고마움을 더 표현하고, 좋은 관계를 유지하기 위해 노력할게요.

고마움을 절대 잊지 않고, 받는 도움들을 당연시하는 사람이 되지 않도록 노력하겠습니다.

고향

저는 초등학생 때 정말 좋은 기억과 추억들이 많아요.

친구들도 정말 좋았고, 그 환경과 분위기가 너무 좋았기 때문에 그런 것 같아요.

그래서 그때 인연들과 아직까지도 잘 지내는 중인데, 잠시 멀어졌었던 적도 있었죠.

그 이유는 제가 야구부 특기생 진학을 위해 중학교와 고등학교를 모두 그곳으로부터 멀리 가게 되면서 자연스럽게 친구들과도 거리가 멀어졌던 것 같아요.

그렇게 서로를 잠시 잊고 시간이 흘러서 고등학생이 되었고, 잠시 여유가 생겨서 저의 좋은 추억들이 가득한 그곳으로 가보게 되었어요.

6년 만에 초등학교 선생님도 뵙고, 정말 가족 같았던 친구들도 만났어요.

정말 감사하게도 친구들도, 선생님도, 학교도 정말 하나도 변함이 없더라고요.

친구들은 여전히 철이 없었고, 순수했고, 밝았어요.

친구들이랑 있으면서 정말 광대가 아플 정도로 하루 종일 깔깔 댄 것 같아요.

그리고 선생님은 육아로 인해 살이 많이 빠지셨지만, 여전히 밝은 에너지를 소유하고 계셨어요.

초등학생 때 사고뭉치였던 저와 제 친구들을 잘 컨트롤해주시던 분 이셨기에, 졸업하고 오랜 시간이 지난 지금까지도 너무 감사한 마음이 가득해요.

학교도 정말 변함이 없었는데, 제가 변했더라고요.

어렸을 때는 몰랐었는데, 크고 나서 오니깐 학교가 너무 작아 보이는 거 있죠?

그동안 그리 멀지 않은 곳이었어도 자주 오지 못했고, 잊고 살았던 게 너무 후회스러웠어요.

그곳에 있는 동안 정말 편안했고, 힐링이 되었어요.

마치 초등학생 때로 돌아간 것만 같았죠.

특히 친구들을 만나서 그때처럼 순수해지는 제 자신을 보면서 너무 반가웠어요.

매번 현실에 부딪혀서, 어린아이 같은 순수한 마음을 가지는 게 노력해도 잘 되지 않았었는데, 그 시절을 보냈던 곳으로 직접 오니깐 그 모습을 볼 수 있어서 가슴이 뛸 정도로 너무 설레고 행복했어요.

앞으로도 계속해서 변하지 말아 줬으면 좋겠어요.

이 동네도, 학교도, 선생님도, 친구들도 계속해서 저의 기댈 곳, 언제든지 돌아올 수 있는 집과 같은 고향이 되어줬으면 좋겠어요.

누가 알았을까?

누가 알았을까요?

없으면 못 살 것 같던 야구를 그만두게 되었을지.

당연히 가는 줄 알았던 미국에 가지 못하게 되었을지.

이렇게 책을 쓰게 되었을지.

앞으로도 어떤 좋은 일이 일어날지 모르기에 더 기대되고 설레고, 어떤 고난이 찾아올지 모르기에 지금 이 순간이 너무 소중합니다.

아무것도 알 수 없는 미래를 위해 제가 당장 할 수 있는 것은 지금을 빛내는 것뿐입니다.

다짐

저는 매일 "더 멋있어져야겠다" 하며 다짐합니다.

이 말이 되게 웃기게 들리실 수도 있지만, 저한테는 엄청난 동기부여가 됩니다.

제가 제 자신을 더 멋있게 만드려고 노력할 때, 그리고 그럴 수 있다고 믿을 때 자신감이 생기고, 많은 열정들이 생기는 것 같습니다.

앞으로도 더 멋있어지기 위해 노력하고, 행동으로 실천하겠습니다.

그리고 언젠가는 제가 생각하는 멋의 기준에 적합한 사람이 되겠습니다.

나를 잡아준 건 동료들

고등학교 3학년 시즌을 보내면서 어떠한 계기로 저를 강하게 잡고 있던 모든 것들이 풀린 것 같은 느낌을 받았습니다.

더 이상 야구를 위한 열정을 가질 수 없을 것 같았고, 하고 싶지도 않았죠.

그래서 시즌이 반 정도 남았음에도 그냥 모든 것을 내려놨습니다.

그렇게 하루하루를 무의미하게 시간을 보내던 중, 제가 싫어도 끝까지 해야 하는 이유를 찾게 되었습니다.

그 이유는 바로 동료들이었습니다.

저를 위해 응원해 주고, 기도 해주는 주변 동료들이 있다는 사실을 깨닫게 되면서 책임감을 가지고 마무리는

지어야겠다고 생각했습니다.

그들은 저를 위해 화내 주고, 함께 긴장해 주고, 웃어주고, 아쉬워해주는 사람들이었기에 제가 최선을 다 해야만 히는 이유로 충분했죠.

그 당시 했던 생각들이 무책임하고, 바보 같은 생각이었다는 것을 깨닫고 진심으로 반성했습니다.

야구를 더 이상 하기 싫은 것은 사실이었지만, 단지 그 이기적인 이유 하나로 여태껏 응원해 주던 사람들에게서 도망가려고 했다니 너무 한심했던 것 같습니다.

그래서 남은 경기 팀을 위해 뛰고, 팀을 위한 행동을 해야 한다고 생각했습니다.

그게 저를 믿어주는 사람들에 대한 마지막 보답이었을 테니깐요.

그리고 그만두고 난 지금도, 그때 정말 힘들었어도 끝까지 하고 그만두길 잘했다고 생각합니다.

적어도 마지막은 정말 재미있었고, 처음이자 마지막으로 진심을 다 해 동료들과 함께 즐겼던 것 같거든요.

형

저에게는 나이차이가 조금 나는 형이 한 명 있어요.

저는 막내라서 곱게 자랐던 반면에, 형은 어릴 때부터 많이 혼나면서 자랐다고 해요.

예를 들면 스키를 배울 때도 무서운 위치에서 스스로 극복하게 내버려두었다고 들었고, 수영을 배울 때도 물에서 스스로 기술을 터득했다고 들었어요.

그렇게 자라서인지는 몰라도 제가 느끼기에 형은 단단하고, 강한 사람이에요.

꽤 냉철한 성격도 가지고 있는 사람이고요.

형도 저처럼 운동을 했었던 사람인데 부상으로 그만두고, 짧은 기간 안에 공부해서 대학도 가고, 대학원도 가고, 지금은 물리치료사로서 일을 하고 있어요.

저는 이런 형이 멋지게 느껴질뿐더러 사실 너무 고마워요.

물론 표현한 적은 단 한 번도 없지만, 진심으로 그렇게 생각해요.

형은 저를 위해 많이 희생해주었어요.

제가 야구를 하면서 부모님의 신경이 저에게로 많이 쏠렸을 때에도 형이 솔직히 서운하지 않았다면 거짓말이었을 텐데, 티 한번 내지 않고 밀어주고 도와줬어요.

운동을 그만둔 지금도 저를 위해 많이 노력해주고 있죠.

그리고 형은 저뿐만 아니라 부모님도 케어해 주는 사람이에요.

제가 할 수 없는 일을 형은 혼자서 해내고 있어요.

그런 형도 가끔은 본인이 잘 되지 않았다는 듯이 이야기할 때가 있어요.

그런데 저는 그렇게 생각해 본 적이 한 번도 없거든요.

저는 형이 본인이 하는 일에 자부심을 느끼고 살았으면 좋겠어요.

그리고 이제는 이기적이어도 좋으니, 본인을 위해 살았으면 좋겠어요.

이제는 제가 보답할 차례인가 봐요.

솔직히 너무 오래 걸리겠지만, 천천히 갚아볼게요.

필요했던 말

운동을 그만둔 지 얼마 되지 않았을 때, 예전 팀 동료의 부모님을 만나서 잠시 대화를 하게 되었어요.

그분은 미래에 대해 걱정하는 저의 모습을 보며 이야기해 주셨어요.

"운동을 그만두는 것이 그렇게 큰일이 아니다, 네가 어디에 있던, 무엇을 하던, 부모님들은 자식을 응원하고, 도와주고, 사랑할 거야."

그 말을 듣는 순간 울컥할 정도로 정말 와닿았어요.

어쩌면 그 말이 저에게 가장 필요했던 말이었을지도 몰라요.

매번 정신이 번쩍 들게 해 주시는 좋은 어른들이 주변에 많아서 너무 감사할 뿐이에요.

우물 안 개구리

이 책을 쓰면서 느꼈던 부분이 하나 있습니다.

그 부분은 아마도 제 책을 읽고 계신 분이라면 공감하실 수도 있는 부분입니다.

제가 쓴 글의 범위가 다양하지 않고, 한정되어 있는 것 같습니다.

그것은 제가 그만큼 다양한 경험들을 해보지 못하고, 어떤 틀에서 오래 지냈다는 이야기가 되겠죠.

그런데 그게 정말 사실입니다.

제 인생에는 야구가 절반을 차지했기에 글의 범위가 넓은 게 이상하기도 하죠.

제가 쓴 글에 야구가 아닌 내용들은 대부분 그만두고 나서 쓴 글입니다.

그만두고 나니 다른 것들이 보이고, 느껴지기 시작하더라고요.

저는 더 이상 우물 안에 개구리가 되고 싶지 않습니다.

더욱더 다양하고, 많은 경험들을 해보고 싶고, 인연들을 만들고 싶습니다.

그렇기 위해 노력하다 보면 저의 시야도 넓어질 것이고, 제가 쓸 수 있는, 생각할 수 있는 범위도 분명 넓어질 거라 믿습니다.

꼬이고 난 후 춤은 더 멋지게

제가 좋아하는 노래의 가사 중 "꼬이고 난 후 춤은 더 멋지게"라는 가사가 있어요.

저는 원래도 이 가사를 되게 좋아했었는데, 최근에 어떤 영상을 하나 보면서 더욱더 멋있는 말처럼 느껴지기 시작했어요.

한 댄서가 육안으로도 미끄러워 보이는 바닥에서 높은 힐을 신고 춤을 추고 있었어요.

정말 보는 저도 넘어질 것 같아서 불안했는데, 실제로 무대 위에 있던 댄서는 전혀 불안해하지 않고, 오히려 더욱더 과감했어요.

그러다 결국 댄서는 미끄러져서 자세가 흐트러지고 말았어요.

근데 그 댄서는 미끄러져서 넘어짐과 동시에 그것을 본인의 춤으로 연결시키면서 더 멋있는 퍼포먼스를 만드는 데 성공하면서 관객들의 환호를 얻어냈어요.

그분은 넘어지는 것을 두려워하지 않았고, 비록 넘어졌을지라도 오히려 그것을 이용해 본인의 가치를 더욱더 높이는 데 성공했죠.

저는 그 영상을 보면서 소름이 돋았고, 동시에 그 가사를 떠올리며 확실히 느꼈습니다.

"정말 꼬이고 난 후에 춤은 더 멋있구나"

인간일 뿐

우리는 그저 인간일 뿐입니다.

절대 완벽할 수 없죠.

우리의 매일이 완벽할 수 없고, 좋은 날일 수는 없습니다.

어쩌면 자기 자신에게 실망하는 날이 더 많을지도 모릅니다.

그래도 괜찮습니다.

다시 돌아오면 됩니다.

한숨 자거나, 각자의 방법대로 숨을 돌리고, 아무 일도 없었다는 듯이 돌아와서 다시 처음부터 시작하면 됩니다.

정말로 그것이면 됩니다.

관계

우리가 이성을 만날 때 주변에서 가장 많이 하는 말이 "있는 그대로의 너를 사랑해 줄 수 있는 사람을 만나"라는 말이라고 생각합니다.

근데 제가 생각하기에는 그 말은 이성관계뿐만 아니라, 모든 인간관계도 마찬가지인 것 같습니다.

제가 인간관계에 스트레스를 받으면서 지냈던 적이 잠시 있었습니다.

아무래도 단체 생활을 해야 하는 상황이었다 보니, 다른 성향과 성격을 가진 사람들과 생활하면서 부딪혀야 하는 경우가 많았습니다.

그럴 때마다 남에게 맞춰 주며 자신을 점점 잃어가는 것 같은 느낌을 받았습니다.

그래서 저는 단체생활이 저랑은 맞지 않는다고 생각했습니다.

근데 최근에 새로운 사람들과 단체생활을 하게 됐었는데, 그동안 가지고 있던 고민들이 없어졌습니다.

그곳에는 저랑 마음이 잘 맞는 친구들이 정말 많았고, 있는 그대로 서로의 모습을 존중해 주며, 좋아해 줬습니다.

그 당시 매일 같이 오랜 시간 공부를 하느라 굉장히 피곤할 때였는데, 그 친구들과 함께라서 버틸 수 있었고, 스트레스가 많이 줄었습니다.

주변에 항상 마음 맞는 사람들, 있는 그대로의 자신을 사랑해 줄 수 있는 사람들을 많이 두는 것이 정말 중요하다는 것을 다시 한번 느낍니다.

하수의 깨달음

아직 공부를 시작한 지 얼마 되지도 않은 하수가 하기에는 100년 빠른 소리지만, 당장 풀리지 않아서 화가나던 문제가, 잠시 숨을 돌리면서 다른 것을 하고 있을 때 갑자기 답이 떠오르는 경우가 있는 것 같습니다.

어렵고, 답답할 때 죽어라 파는 것도 좋지만, 때로는 잠깐 한 발짝 물러나 보는 것도 좋은 방법인 것 같아요.

무질서와 자유

많은 사람들이 자유를 주장하며 무질서하게 행동하는 경향이 있습니다.

저 역시 자유를 좋아하고, 그러한 삶을 살려고 노력하고 있습니다.

하지만 그것이 무질서를 의미하는 것은 아닙니다.

자유는 우리에게 생각할 권리, 결정할 권리를 줍니다.

하지만 반드시 그에 대한 책임을 져야 하는 의무도 따르죠.

하지만 무질서는 그 의무를 무시하고, 회피합니다.

마음대로 행동하고, 일을 벌이지만, 그에 대한 책임을 지고 싶지는 않은 거죠.

무질서와 자유.

이 두 단어의 차이에 대해서 분명하게 이해하고 인지할 필요가 있습니다.

그리고 본인이 둘 중 어떤 삶을 살아왔는지, 앞으로는 어떤 삶을 선택할 것인지 결정할 필요 역시 있다고 생각합니다.

세대교체

세대교체는 발전을 위해 무조건 필요한 것이지만, 언제나 그것을 바라보는 것은 마음이 아픈 것 같습니다.

누구보다 빛났던 스타들이 은퇴하고, 사람들의 기억 속에서 점점 잊혀 갈 때, "영원한 것은 정말 없었구나"라는 생각을 하게 됩니다.

하지만 어쩔 수 없는 일입니다.

"세상은 항상 우리에게 발전하거나, 사라지거나 둘 중 하나를 선택하라고 합니다."

그 둘 중에 발전을 선택할 수 없게 될 때에는 자연스럽게 물러날 수밖에 없는 것입니다.

그 답을 선택할 수 있는 젊음이 길지 않다고 믿기에, 저는 앞으로 더 리스크를 걸겠습니다.

그리고 언젠가 다른 답을 선택해야만 하는 날이 올 텐데, 그 선택을 후회 없이 할 수 있도록 그전까지 정말 최선을 다 해 살겠습니다.

그들이 할 수 없는 것

최근에 저와 함께 운동을 했던 친구들이 프로 무대에서 좋은 활약을 하고 있는 모습을 많이 볼 수 있습니다.

저는 그들이 부럽기보다, 오히려 대단하다고 생각하고, 앞으로 더 잘해주길 진심으로 바랍니다.

하지만 가족들은 아무래도 그들이 조금은 부러울 수도 있을 것 같습니다.

저는 이게 전혀 서운하지 않습니다, 오히려 당연한 거죠.

누구보다 힘들게 저를 도와주셨고, 응원해 주셨던 분들이기에, 그게 전혀 이상하다고 생각하지 않습니다.

저는 그저 이 말씀을 드리고 싶습니다.

저는 그들이 할 수 없는 것을 해내겠습니다.

류현진

저는 지금 류현진 선수의 복귀전을 보고 있는데, 류현진 선수의 투구를 보면서 느끼는 점이 있습니다.

류현진 선수의 투구는 제가 살아가고 싶은 삶을 보여주는 것 같습니다.

결과가 좋아도 좋아하지 않고, 나빠도 좌절하지 않고, 그저 묵묵히 해내죠.

그리고 어려운 상황에 처했을 때, 상황을 침착하게 하나하나씩 풀어가며 대처해 내는 모습들을 볼 수 있었습니다.

또한 잘 안 되는 구종이 있으면 다른 구종으로 상황을 풀어가며, 유리할 때에는 안 되는 구종을 던지면서 천천히 감을 잡아가죠.

절대 본인의 투구에 감정을 집어넣지 않습니다.

그저 상황을 이겨내고, 대처 해냅니다.

그리고 앞으로 던져야 할 경기가 많기에 당장의 결과의 일희일비하지도 않습니다.

저는 그런 모습들이 제 삶에서도 보이길 진심으로 바랍니다.

오늘만

제가 제 자신에게 정말 자주 하는 말 중 하나가 "오늘만 살자"입니다.

그날 컨디션이 안 좋거나, 의욕이 떨어지는 날일 때, 오늘만 살자고 생각하면 일을 미루거나, 안 할 수 없게 되는 것 같습니다.

오늘을 위해 최선을 다 해야 하고, 즐겨야 하고, 용기를 내야 합니다.

"오늘이라는 평범한 시간은 누군가에게는 간절했던 내일일 테니깐요"

우리는 그들의 몫까지 최선을 다 해 오늘을 보내야 할 책임이 있습니다.

제가 군대 가기 전에 내려고 했던 이 책을 더 이상 미루지 않고 빠르게 낸 이유이기도 합니다.

나중은 없습니다, 오늘만 존재합니다.

공간분리

최근에 인테리어 관련된 채널을 자주 보면서, 인테리어에서는 공간분리가 중요하다는 것을 알게 되었습니다.

말 그대로 공간을 분리해서 본인이 쉴 수 있는 공간을 만드는 것이 중요한 핵심인데요.

저는 이것이 우리 삶에도 필요한 부분이라고 생각합니다.

제가 공부를 처음 시작한 순간부터 마음먹은 것이기도 한데, 저는 집에서 절대 공부를 하지 않습니다.

집은 쉬는 공간이라고 생각하기 때문에, 공부를 해야 하면 무조건 나가서 합니다.

그러면 저는 집이라는 저만의 휴식공간을 확보한 것이 되겠네요.

저는 그 공간이 꼭 필요하다고 생각합니다.

본인이 아무 생각 없이 편하게 쉴 수 있는 공간이요.

제가 앞으로 취직해서 일을 하게 된다 해도, 그것은 변함없을 것 같습니다.

집은 학교도, 학원도, 회사도 아닌 나를 안아주는 휴식처가 돼야 된다고 생각합니다.

운동

운동을 그만뒀음에도 운동을 멈출 수 없는 이유가 있어요.

물론 운동을 정말 좋아하기 때문이기도 하지만, 너무 오랜 시간 동안 몸을 움직여왔기 때문에, 몸을 움직이지 않으면 오히려 그게 더 힘든 것 같아요.

예를 들자면 제가 코로나에 걸려서 격리소에 2주 정도 격리 된 적이 있었어요.

그때 정말 운동을 시작하고 처음으로 2주 라는 시간동안 운동을 안 해봤는데, 몸도 몸이지만 심리적으로 정말 힘들더라고요.

침대에 누워있는데 아무 이유 없이 눈물이 나고, 너무 무기력해졌어요.

그것 때문에 격리에서 해제돼도 후유증이 있을까 걱정했지만, 운동을 다시 시작하니 멀쩡해지더라고요.

그 일뿐만 아니라 운동을 그만둔 지금도 몸을 자주 움직이지 않으면 오히려 기운이 안 나고, 몸이 아파요.

이게 제가 운동을 계속하는 이유인 것 같아요.

그런데 운동을 해야만 하는 이유가 있다는 것은 오히려 좋은 것 같아요.

나태해지지 않을 수 있고, 건강을 유지할 수 있잖아요.

불청객

우리의 인생에는 정말 많은 불청객들이 찾아와요.

정말 안 왔으면 좋겠고, 왔을 때는 빨리 갔으면 좋겠지만, 마음을 정말 몰라주죠.

설령 갔다고 해도 언제 다시 올지 모르죠.

그래서 저는 그냥 그 불청객조차도 환영하려고 마음먹었어요.

"피할 수 없으면 즐겨라"라는 말이 정말 훌륭한 말인 것 같아요.

어차피 마음대로 되지 않을 일이라면, 그 순간을 충분히 느끼고, 즐기고, 그 불청객이 가기 전까지 느긋하게 기다리면 돼요.

언젠가는 가겠죠 뭐.

또 올 거면 그냥 오라 그러세요.

관심

저는 자기 자신에 대한 관심을 조금 줄일 필요가 있다고 생각해요.

예를 들어 설명을 해보자면 저는 제 피부에 관심이 정말 많아서 정말 확대해야만 보이는 트러블조차도 제 눈으로 볼 수 있어요.

그렇게 자주 보다 보면 언젠가는 그게 크게 보이고 마치 제 피부가 너무 안 좋은 것처럼 느껴져요.

하지만 남들은 실제로 보지도 못하고, 관심조차 없죠.

제가 숨기고 싶은 부분들에 대해 남들은 그렇게 관심이 없어요.

오히려 그 숨기려는 자세가 부자연스럽고, 자신감 없는 태도가 멋없게 드러나길 마련이죠.

하지만 제가 거울을 자주 보지 않는다면, 남들에게 내가 어떻게 보이는지 알 수도 없고, 별로 궁금하지도 않겠죠.

저는 자신에 대한 관심이 이런 식으로 너무 강하다면, 조금 줄이려고 노력할 필요가 있다고 생각해요.

"자기 자신에 대해서 덜 생각할수록 불행도 덜해집니다.'

발전

저는 발전을 하기 위한 가장 첫 번째 단계는 본인의 부족함을 인정하는 것이라고 생각해요.

저를 포함한 많은 사람들이 그 부분을 부정하고, 쉽게 인정하지 못해요.

하지만 어쩔 수 없어요.

발전을 위해서는 지금 현재 본인의 상태를 객관적으로 정확히 인지해야 하고, 그것을 인정하고, 나아가기 위해 노력해야 해요.

또한 낮은 자세로 항상 배우기 위해 노력해야 하죠.

어느 누구에게나 배울 점은 존재합니다.

심지어는 어린아이에게도 말이죠.

저는 자존심을 살짝 낮추더라도 그 배움을 위해 노력하는 사람만이 크게 될 수 있다고 생각합니다.

배움은 부끄러운 것이 아닌, 아름다운 것이니깐요.

내 안에

나에 대한 답을 남에게서 찾으려고 하면 한 없이 무너지는 것 같아요.

저도 항상 남에게 확인하고, 남으로부터 답을 찾으려고 했었습니다.

솔직히 그게 마음이 편하기도 했죠.

왠지 내 책임이 아닌 것 같고, 고민하는 시간이 줄어들거든요.

하지만 어쩌면 그 답을 이미 우리는 알고 있었을지도 몰라요.

그것이 우리 안에 너무 깊은 속에 있어서, 알려고 시도조차 해보지 못했을 뿐이죠.

하지만 답은 항상 내 안에 있어요.

그것을 보기 위해 노력해 볼 필요가 있습니다.

그냥 나쁜 날

"세상이 당신의 어깨 위에 있을 때, 그리고 네 마음의 무게를 견디기에 너무 힘이 들 때, 항상 스스로에게 이야기해. 그냥 나쁜 날이야, 나쁜 삶이 아니야."

술

이 책을 통해 약속하겠습니다.

죽을 때까지 술에 취하지 않겠습니다.

술은 인간에게 많은 용기를 줍니다.

술은 인간에게 솔직해질 기회를 줍니다.

하지만 술에게서 용기와 솔직함은 빌렸다는 이유로 그 책임이 술에게 있지는 않습니다.

맨 정신에 하지 못할 말과 행동을 술이라는 수단을 빌려하지 않겠습니다.

남에게 이미 준 상처가 그저 실수가 돼버리는 경우가 너무 싫습니다.

후회할 일 시작하지도 않겠습니다.

소중한 것을 잃고 싶지 않습니다.

오해

많은 사람들이 저에 대해서 오해하고 계시는 게 있습니다.

심지어는 가족들도 하는 오해이기도 하죠.

그것은 제가 야구를 그만두었으니 야구를 싫어하겠다는 생각입니다.

사실은 절대 그렇지 않습니다, 오히려 반대죠.

아직까지도 제 눈에는 야구장에 있는 남자들이 가장 멋있습니다.

제가 실패했다는 이유로 그들에게 질투가 나는 게 아니라, 그 자리가 얼마나 어려운 자리인 줄 알기에 그것을 해낸 그들이 더 멋있게 느껴지고, 존경스럽습니다.

더 이상 나의 길이 아니라고 느껴졌기에 그만둔 것이지,
절대 야구가 밉거나 싫지 않습니다.

야구는 저에게 있어 가장 소중한 친구였고, 정말 많은
인연과 추억을 선물해 준 고마운 존재이기도 하니깐요.

사진

불과 작년까지만 해도 제 갤러리에는 단 한 장의 사진도 없었습니다.

그 이유는 사진을 찍어도 바로 삭제하는 습관을 가지고 있었기 때문입니다.

갤러리에 들어가서 예전 사진을 보며 그리워하는 것이 과거에 얽매여 있는 것 같아서 사진을 바로바로 지웠었는데, 그게 습관이 되었던 것 같습니다.

그런데 우연히 예전 사진들을 하나하나씩 보게 되면서 많은 생각이 들었습니다.

저에게는 추억이 될만한 사진이 하나도 남아 있지 않았었고, 그게 너무 아쉽게 느껴졌습니다.

그래서 올해 마음을 먹은 것 중에 하나가 "사진을 많이 찍고, 그것을 절대 지우지 말고 모아보자"입니다.

예전에는 과거에 얽매여 있는 게 너무 안 좋은 행동이라고 생각했는데, 지금은 추억으로 인해 받을 수 있는 에너지가 있기에 그것을 잘 이용하면 저에게 더 좋을 수도 있겠다는 생각으로 바뀐 것 같습니다.

물론 과거에 잡혀 지금을 망치는 일은 절대 없도록 할 겁니다.

실패할 수 있구나

제가 야구를 하면서 얻은 가장 큰 교훈은 "정말 열심히 했더라도 실패할 수 있구나"입니다.

물론 처음 이것을 느꼈을 때는 매우 괴로웠습니다.

누구보다 열심히 했다고 자부할 수 있었고, 그렇게 하다 보면 무조건 될 거라고 믿었기 때문이죠.

하지만 현실은 아니었습니다.

프로를 목표로 하는 사람은 너무나도 많았고, 저보다 뛰어난 사람들도 너무나도 많았습니다.

처음에는 제 자신의 한계를 받아들이기 힘들었는데, 시간이 지날수록 받아들이게 되었고, 그것으로 인해 인간적으로 더 단단해진 것 같습니다.

예전에는 노력을 할 때 "이 정도 했는데 무조건 되겠지?"
하며 결과에 너무 큰 집착을 했다면, 지금은 "나는 내가
할 수 있는 일을 최선을 다 해 하고, 결과는 하늘에 맡
기자"가 된 것 같습니다.

"정말 애를 써도 안 되는 일이 있을 수 있다"라는 생각
이 머릿속에 자리 잡히니깐, 부담이 조금씩 사라져 갔고,
차분하고 이성적인 판단을 할 수 있게 되었습니다.

결과가 좋지 않아도 과정을 돌아보며 "과정에서 얻은
것이 무엇인가?"를 생각하며 긍정적으로 풀어나갈 수
있게 된 것 같습니다.

그리고 항상 다음을 기약하며 저에게 주어진 하루하루
를 최선을 다 해 보내자고 마음을 먹습니다.

이러한 부분들이 제가 야구를 하면서 배운 가장 감사하
고 소중한 교훈인 것 같습니다.

제가 운동하느라 참석하지 못했던 학교 수업에서도 이
런 것들은 배울 수 없었을 텐데, 야구는 저에게 알려주

었기에 더욱더 고맙게 느껴집니다.

후배들에게

아무래도 제 책을 보고 있는 사람들은 대부분이 저의 후배들일 것 같아서, 그들에게 해주고 싶은 말을 해볼게요.

고3이라는 무게감이 생각보다 많이 무겁지?
시간도 정말 빠르게 갈 거고, 마음대로 되는 일도 많이 없을 거야.
시즌이 시작한 지 엊그제 같은데 벌써 마지막을 앞두고 있겠네.
아마 본인들을 누르고 있던 압박감과 긴장감에서 벗어날 수 있다는 설렘과 동시에, 이제 뭘 어떻게 해야 하나에 대한 불안함도 분명 있을 거라고 생각해.
근데 그런 거는 다 끝나고 생각해도 되고, 지금은 그저 너희들의 마지막 여름을 누구보다 뜨겁게 보내주길 바라.
최선을 다해 즐기고, 후회 없이 돌리고, 후회 없이 던지고 오렴.

그리고 동료들과 함께 좋은 추억들 많이 만들고 왔으면 좋겠다.

그리고 너희들의 미래는 너무 걱정하지 마.

프로에 진출하지 못했다고 해서 뭐가 크게 잘못되는 게 아니더라.

형 동기들만 봐도 알 수 있어.

공부로 대학 간 형들은 다 장학생 받고 다니고, 다른 길로 간 형들은 벌써 적응 잘해서 인정도 받고, 형은 이렇게 책도 쓰고 있잖냐.

지금까지 너희들을 평가했던 기록들과 수치들 따위는 절대 너희들의 가치를 평가하지 못해.

누구보다 힘들었을 텐데 지금까지 잘 이겨내 왔고, 오랜 시간 동안 한 분야에서 꾸준히 최선을 다 해왔다는 것만으로도 너네들을 이미 충분히 훌륭한 사람들이야.

한 분야에서 10년 하는 게 정말 어려운 일인데, 우리는 그것을 당연시하게 해왔잖아.

우린 그만큼 가치 있는 사람들인 거야.

그러니 너무 걱정 말고, 누구보다 멋있는 마지막을 보내고 와라.

그리고 선배들의 도움이 필요하면 부담 가지지 말고 언제든지 편하게 연락해.

도와줄 수 있는 건 정말 다 도와줄게.

그리고 무사히 잘 끝내고 나면 이런저런 이야기하면서

밥이나 한 끼 하자.

마치며

드디어 길고 긴 여정이 끝났습니다.

고3 때부터 책을 쓰고 싶다는 꿈과 함께 글을 써왔었는데, 수정하고, 추가하고, 정리가 안된 글은 삭제하고 하다 보니 양은 얼마 안 되는데도 시간이 너무 오래 걸린 것 같습니다.

그래도 오래 걸린 만큼 완성이 되니 정말 뿌듯하고, 끝까지 포기하지 않고 해낸 제 자신이 자랑스럽습니다.

평소에 할 수 없었던 이야기들을 이렇게 책을 통해 할 수 있었던 것 같아서 정말 후련합니다.

그런데 한편으로는 너무 솔직하고, 어두웠던 이야기가 꽤 있었던 것 같아서, 주변 사람들이 괜히 걱정할까 봐 불안하기도 합니다.

하지만 저는 지금 매우 좋고, 잘 지내고 있으니 걱정하지 마시길 바랍니다.

올해 대학을 가게 되면서 많은 분들이 저에게 응원을 보내주셨습니다.

특히 우리 가족분들이 너무 응원을 많이 해주셨고, 용돈도 많이 주셨습니다.

이 책은 우리 가족들 덕분에 낼 수 있었다고 해도 과언이 아닙니다.

저를 믿고 응원해 주셔서 진심으로 감사하고, 은혜는 천천히 꼭 갚아나가겠습니다.

지금까지 저의 이야기를 들어주셔서 정말로 감사하고, 올해 꼭 건강하시고, 하시는 일들 전부 다 잘되시기를 바라겠습니다.